GEOGRAFÍA

para niños y jóvenes

GEOGRAFÍA
para niños y jóvenes

Ideas y proyectos superdivertidos

Janice VanCleave

LIMUSA

NORIEGA EDITORES

MÉXICO • España • Venezuela • Colombia

VERSIÓN AUTORIZADA EN ESPAÑOL DE LA OBRA
PUBLICADA EN INGLÉS CON EL TÍTULO:
GEOGRAPHY FOR EVERY KID
© JOHN WILEY & SONS INC.

ILUSTRADO POR:
MONA MARK

COLABORADOR EN LA TRADUCCIÓN:
HUGO ESCOFFIÉ MARTÍNEZ

LA PRESENTACIÓN Y DISPOSICIÓN EN CONJUNTO DE

GEOGRAFÍA PARA NIÑOS Y JÓVENES

DERECHOS RESERVADOS:

© 1997, EDITORIAL LIMUSA, S.A. DE C.V.
GRUPO NORIEGA EDITORES
BALDERAS 95, MÉXICO, D.F.
C.P. 06040
☎ 521-21-05
91(800) 7-06-91
📠 512-29-03
💻 cnoriega@mail.internet.com.mx

CANIEM NÚM. 121

SEGUNDA REIMPRESIÓN

HECHO EN MÉXICO
ISBN 968-18-4901-9

*Dedico este libro a un grupo
de futuros trotamundos, mis nietos,*
Kimberly, Jennifer y Davin VanCleave,
Lauren y Lacey Russell

Agradecimientos

Deseo expresar mi agradecimiento a un grupo de niños de la Primera Iglesia Bautista (First Baptist Church) de Marlin, Texas, que se reunían cada semana para ayudarme a probar y refinar varios de los procedimientos y ejercicios. Trabajamos juntos para asegurar que se incluyeran sólo problemas totalmente probados y practicables. Su reacción tan animada ante las actividades fue parte de su valiosa aportación. Gracias a: Will Butler, Brinson Bryan, Jeffrey Drake, Scott Drake, Jarrod Hogg, Brett Patrik Jenkins, Matthew Jennings, Nathan Jennings y Will Johnson.

Janice Vancleave

Contenido

Introducción

Este es un libro de geografía básica y su propósito es enseñar hechos, conceptos y estrategias para resolver problemas. La geografía es parte de nuestra vida diaria; cada sección presenta conceptos geográficos de manera que el aprendizaje resulta últil y divertido.

La **Geografía** es la rama de la ciencia que estudia todos los aspectos de las características físicas de la Tierra y sus habitantes. Es el estudio de casi todo lo que hay en la Tierra: la distribución de sus habitantes, animales y plantas, las características de la tierra, el mar y el aire, las condiciones climáticas y muchas cosas más. La diferencia entre la geografía y las otras ciencias es que la geografía examina sus temas desde la perspectiva del lugar donde están y de la forma en que se relacionan con cuanto les rodea. Otras ciencias tienden a enfocar los temas individualmente.

En este libro aprenderás a leer y elaborar mapas, cuáles son las regiones climáticas y patrones de climas, masas de tierra y agua y distribución de los habitantes. Todos necesitamos adquirir conocimientos básicos relacionados con la geografía. Las preguntas ¿dónde? ¿a qué distancia? y ¿cómo se llega allí? son parte de la vida diaria. El estudio de la geografía te ayudará a hallar las respuestas a esas preguntas, porque te proporciona los conocimientos necesarios para leer mapas y globos terráqueos. Este libro te dará mayor seguridad en el manejo de los conceptos geográficos y te propor-

13

ciona algunas herramientas básicas para lograr por ti mismo mayores descubrimientos geográficos.

Durante mucho tiempo los mapas han sido importantes para la humanidad. Los primeros fueron hechos en el suelo por los viajeros prehistóricos, que reconocían la importancia de compartir sus conocimientos acerca de la ubicación de los lugares y las cosas. Estos primeros mapas se hacían rudimentariamente con un palo en la tierra y no eran portátiles. Actualmente existen globos terráqueos y mapas con información detallada acerca de lugares que están en la misma calle o en otras partes del mundo.

¿Se ha descubierto y registrado todo lo que hay que saber de geografía? No. La geografía es una ciencia viva y creciente. Con los avances en las herramientas para hacer mapas y los medios de transporte, los geógrafos de hoy pueden estudiar y registrar no sólo las características de este planeta, sino también las de otros cuerpos celestes.

Este libro presenta la información geográfica de manera que puedas entenderla y usarla fácilmente. Los problemas, experimentos y actividades fueron seleccionados de forma que te ayuden a comprender los conceptos con muy poca dificultad. Uno de los principales objetivos es mostrar lo divertida que es la geografía.

Lee con atención cada una de las 20 secciones y sigue cuidadosamente todos los procedimientos. Aprenderás mejor si lees las secciones en orden, ya que la información se presenta en forma progresiva. El formato de cada sección es:

1. **Lo que necesitas saber:** Información y explicación de los términos.
2. **Pensémoslo bien:** Preguntas que hay que contestar o situaciones que se han de resolver con la información que se presenta en la sección anterior.
3. **Respuestas:** Instrucciones paso por paso para resolver las preguntas planteadas en la sección Pensémoslo Bien.
4. **Ejercicios:** Problemas prácticos para reforzar tus conocimientos.

5. **Actividad:** Proyecto que te permite aplicar tus conocimientos en la resolución de un problema de la vida real.
6. **Soluciones a los ejercicios:** Instrucciones paso por paso para la resolución de los ejercicios.
7. **Glosario:** Todas las palabras que aparecen en negritas se definen en el glosario que aparece al final del libro. Asegúrate de consultar el glosario todas las veces que sea necesario, hasta que cada palabra forme parte de tu vocabulario personal.
8. Algunas secciones incluyen también una parte llamada **Caja de herramientas del geógrafo**, con instrucciones paso por paso para elaborar las herramientas que se usarán en la misma sección.

Instrucciones generales para las secciones *Pensémoslo Bien y Ejercicios*

1. Estudia cuidadosamente cada pregunta, leyéndola una o dos veces y sigue los pasos que se presentan en la sección de Respuestas.
2. Repite el mismo procedimiento en la sección de Ejercicios, siguiendo los pasos descritos en las respuestas a las preguntas de la sección Pensémoslo Bien.
3. Revisa tus respuestas para evaluar tu trabajo.
4. Si tus respuestas no son las correctas, repite el trabajo.

Instrucciones generales para las secciones de *Actividades*

1. Lee toda la Actividad antes de empezar.
2. Reúne los materiales. Tendrás menos problemas y más entretenimiento si todos los materiales necesarios para la actividad están listos antes de que comiences. Perderás el hilo de las ideas si tienes que detenerte a buscar los materiales.
3. No realices la Actividad en forma precipitada. Sigue cuidadosamente cada paso. Nunca omitas pasos ni agregues

otros. La seguridad es lo más importante. Si lees cada Actividad antes de empezar y sigues después las instrucciones con exactitud, podrás tener confianza en que no se presentarán resultados inesperados.

4. Observa. Si tus resultados no son los mismos que se describen en la Actividad, vuelve a leer cuidadosamente las instrucciones y empieza desde el primer paso.

1

La Tierra en el espacio

Estudio e interpretación de los modelos antiguos y actuales del sistema solar

Lo que necesitas saber

Los primeros **astrónomos** (personas que estudian las estrellas y demás objetos que están en el espacio) los griegos trataron de calcular la distancia que hay de la tierra al sol y a la luna. Sin ayuda de telescopios, estos hombres de ciencia hicieron ma-pas del universo colocando la tierra en el centro, con las estrellas, la luna y el sol moviéndose alrededor de ella. Para explicar los movimientos de los cuerpos celestes describieron el firmamento como una enorme esfera vacía que rodeaba la tierra. Las estrellas, la luna y el sol fueron puestos dentro de la esfera y cuando ésta se movía, las estrellas, la luna y el sol hacían lo mismo en el firmamento. Con el paso del tiempo, este modelo no podía explicar por qué algunos cuerpos celestes parecían cuerpos errantes que viajaban por los cielos. Los astrónomos les pusieron el nombre de **planeta** (palabra griega que significa errante).

Alrededor del año 140 Antes de Cristo, el astrónomo griego Ptolomeo sugirió un modelo del universo, según el cual los planetas, la luna y el sol giraban alrededor de la tierra. Su modelo también sugería que los planetas se movían en pequeños círculos mientras recorrían estas trayectorias. No fue sino hasta el año 1543 de nuestra era, cuando el astrónomo polaco Nicolás Copérnico propuso un modelo que colocaba al sol en el centro y a los planetas, inclusive la tierra, girando a su alrededor. Ambos modelos aparecen en esta página y la siguiente.

MODELO DE PTOLOMEO

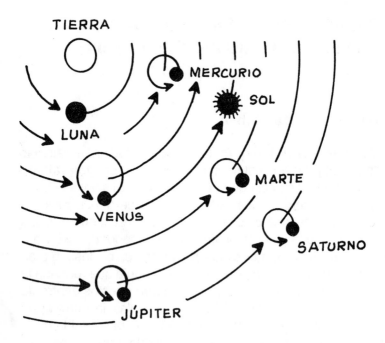

Pensémoslo bien

Para contestar las siguientes preguntas, compara los modelos del universo propuestos por Ptolomeo y Copérnico.

1. ¿Cuál modelo describe mejor un **sistema solar** (grupo de cuerpos celestes que viajan alrededor de un sol)?
2. ¿En qué es diferente la posición de la tierra en uno y otro modelos?

3. ¿Cuántos planetas se conocían en los tiempos de Ptolomeo y Copérnico?

MODELO DE COPÉRNICO

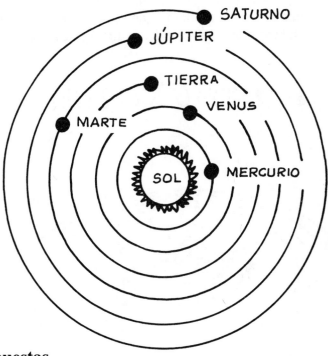

Respuestas
¡Piensa!

1. El modelo de Copérnico describe un sistema solar con el sol al centro y los planetas girando a su alrededor.
2. En el modelo de Ptolomeo, la Tierra es el centro del sistema; pero en el modelo de Copérnico, la Tierra es el tercer planeta alrededor del sol.
3. En los tiempos de ambos astrónomos, se conocían seis planetas, que eran Mercurio, Venus, Tierra, Marte, Júpiter y Saturno.

Ejercicios

Usa el modelo moderno del sistema solar para contestar las siguientes preguntas:

1. ¿Cuántos planetas se conocen actualmente?
2. ¿Indica el mapa moderno que la posición de la tierra ha cambiado respecto al modelo que propuso Copérnico?

MODELO MODERNO

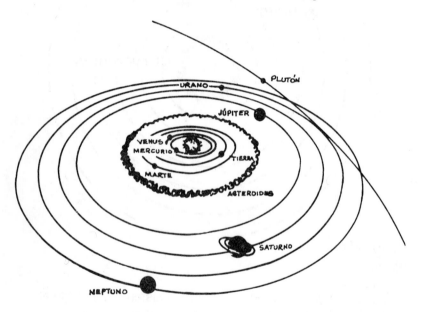

Actividad: TRAYECTORIAS

Objetivo   Demostrar las trayectorias de los planetas Mercurio, Venus, la Tierra y Marte, alrededor del sol.

Materiales   tijeras
regla
cuerda (cordón)
cartulina de 45 cm (18 pulgadas) por lado
cartón de 45 cm (18 pulgadas) por lado
lápiz
2 tachuelas

Procedimiento

- Corta un tramo de cuerda de 60 cm (24 pulgadas).
- Dobla la cuerda a la mitad.
- Amarra la cuerda doblada para formar un lazo de aproximadamente 15 cm (6 pulgadas) de largo.
- Haz un segundo nudo aproximadamente a 2.5 cm (1 pulgada) abajo del primer nudo.
- Haz un tercer nudo a aproximadamente 2.5 cm (1 pulgada) abajo del segundo.
- Haz un cuarto nudo a aproximadamente 2.5 cm (1 pulgada) abajo del tercero.
- Coloca la cartulina encima del cartón.
- Dibuja en el centro de la cartulina una línea de 13 cm (5 pulgadas) de largo y clava una tachuela en cada uno de los extremos de la línea.
- Coloca el lazo de cuerda de 15 cm (6 pulgadas), alrededor de las tachuelas.
- Coloca el lápiz de manera que su punta quede dentro del interior del lazo.
- Mantén tensa la cuerda mientras guías el lápiz alrededor del interior de la cuerda, para dibujar una trayectoria elíptica en la cartulina.

- Coloca el lápiz dentro del lazo formado por el primer y segundo nudos y repite el procedimiento.
- Repite el procedimiento colocando el lápiz entre el segundo y tercer nudos y después entre el tercero y el cuarto.
- Quita las tachuelas y dibuja un círculo alrededor del agujero que dejó una de ellas. Este círculo representa al sol.
- Dibuja un pequeño círculo sobre cada trayectoria elíptica y márcalas como Mercurio, Venus, Tierra y Marte, como se indica en el diagrama.

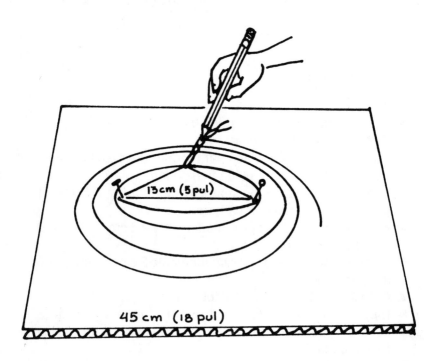

13cm (5 pul)

45 cm (18 pul)

Resultados Quedan dibujadas las trayectorias elípticas de los cuatro planetas más próximos al sol.

¿Por qué? El astrónomo alemán Johannes Kepler (1571-1630) verificó que las órbitas (trayectorias alrededor del sol) de los planetas no son circulares, sino elípticas u ovaladas y que el sol está mucho más cerca de un extremo que del otro. La velocidad de cada planeta varía durante su órbita elíptica y tiene mayor rapidez cuando el planeta está más cerca del sol. Vistos desde Polaris (la Estrella Polar), los planetas giran de derecha a izquierda (sentido de rotación contrario al de las manecillas del reloj) alrededor del sol.

LA TIERRA EN EL ESPACIO

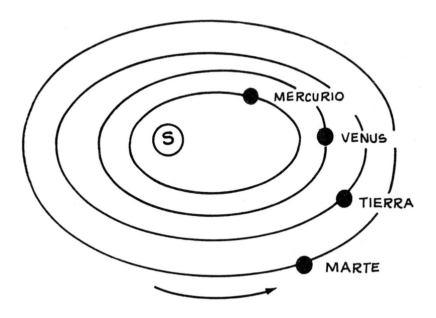

Soluciones a los ejercicios

1. Se conocen nueve planetas: Mercurio, Venus, Tierra, Marte, Júpiter, Saturno, Urano, Neptuno y Plutón.
2. No. En ambos modelos la tierra ocupa el tercer lugar alrededor del sol.

2

Historia de la cartografía

Cómo usar los mapas antiguos

Lo que necesitas saber

Los primeros mapas se marcaban en el suelo. Aunque primitivos, eran útiles para indicar a la gente dónde podía conseguir alimentos y agua y cómo regresar sin peligro a sus hogares, que podían ser tiendas, cabañas, o cavernas. Se empleaban símbolos para indicar la ubicación de rasgos geográficos a lo largo de la ruta. Aunque instructivos, aquellos mapas no eran muy prácticos. Como el mapa tenía que quedarse en el suelo, los viajeros sólo podían memorizar su información.

Con el transcurso del tiempo se hicieron mapas más durables. La gente de todas partes del mundo usaba en su cartografía los materiales de que se disponía en sus localidades. Algunos hacían mapas en arcilla húmeda, que se endurecía con el sol. Los chinos pintaban mapas en telas de seda y los esquimales tallaban pequeños planos en la madera que el mar arrojaba a las playas. Las incisiones que hacían en la madera señalaban los cabos y bahías. Los isleños de Polinesia usaban unos mapas muy ingeniosos que se hacían tejiendo bejucos para señalar la dirección de los bancos de pesca deseados. Se les prendían conchas marinas que indicaban la ubicación de las islas. Actualmente casi todos los **cartógrafos** (personas que hacen mapas), utilizan el papel.

Pensémoslo bien

Og, el cavernícola, dibujó en la tierra un mapa para su esposa Iggle. El mapa da la dirección para llegar al nido donde están los huevos de un pájaro grande. Usa el mapa para describir la dirección que Og dio a Iggle.

Respuestas

¡Piensa!

1. Caminar de la caverna al río.
2. Seguir el camino a lo largo del río hacia donde sale el sol.
3. Alejarse del río al llegar a los árboles.
4. Buscar, en la base de la montaña, un nido con un pájaro grande dormido.
5. Tomar un huevo, ponerlo en la canasta y correr a casa.

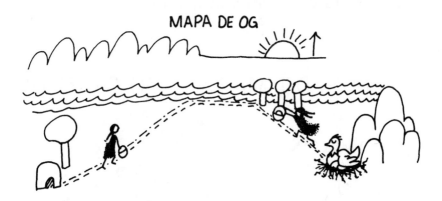

MAPA DE OG

🕳	CAVERNA
⌒⌒	MONTAÑAS
_ _ _	CAMINA
—·—	CORRE
🌳	ÁRBOL
☀↑	SALIDA DEL SOL
∿∿	RÍO
🦆	PÁJARO DORMIDO

Ejercicio

Usa los siguientes símbolos e instrucciones de Oso Corredor para dibujar un mapa que dirija a su amigo Zorro Plateado, a un área donde el joven indio encuentre venados.

Instrucciones de Oso Corredor:

1. Pon tu canoa en el río que pasa junto a tu casa.
2. Viaja tres días por el río.
3. Abandona el río y camina hacia donde sale el sol.
4. Los venados están en las montañas.

SÍMBOLOS DEL MAPA DE OSO CORREDOR

MONTAÑAS
VENADO
RÍO
CANOA
SALIDA DEL SOL
LUNA
HOGAR
ZORRO PLATEADO

Actividad: MAPAS DE ARCILLA

Objetivo Construir un mapa de arcilla que sea una réplica de las antiguas tablillas babilónicas.

Materiales *tazón para mezclar*
cuchara
2 cucharadas (500 ml) de sal de mesa
1 cucharada (250 ml) de harina
3/4 taza (188 ml) de agua
gotero
3 gotas de aceite de cocina
molde de aluminio desechable
lápiz
horno (opcional)
ayudante adulto (sólo si usas el horno)

Procedimiento

- Prepara una carga de arcilla conforme a los siguientes pasos:
  - Mezcla en un tazón la sal con la harina.
  - Agrega el agua poco a poco mientras agitas la mezcla.
  - Agrega el aceite con el gotero. Agita.
- Pon el molde en una mesa.
- Vacía la arcilla del tazón al molde.
- Oprime la arcilla con tus manos hasta que su superficie quede aplanada y lisa, formando una tablilla.
- Dibuja con la punta del lápiz el mapa en la superficie aplanada de la arcilla.

LÁPIZ

HARINA

SAL

ARCILLA
BLANDA
MOLDE DE
ALUMINIO

■ Pon al sol el molde con la tablilla de arcilla hasta que seque o pide a una persona adulta que la hornee durante una hora a baja temperatura (aproximadamente 93 °C o 200 °F).

Resultados Tendrás una tablilla de arcilla blanca con los símbolos del mapa.

¿Por qué? Los mapas de arcilla hechos en el desértico reino de Babilonia son los mapas más antiguos que existen. Estos mapas, duros como piedra, se dibujaron sobre arcilla suave en una forma muy parecida a la que has usado para hacer el tuyo. Los mapas babilónicos se secaban con el calor del sol (tal vez tú hayas preferido usar el calor de un horno).

Solución al ejercicio

MAPA DE ZORRO PLATEADO

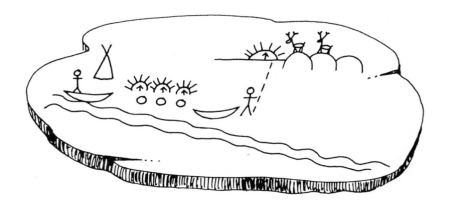

3

Los exploradores

Desde cuándo los primeros exploradores han usado mapas y a las estrellas para determinar distancias y ubicación geográfica

Lo que necesitas saber

Mucho tiempo antes de que los valientes exploradores europeos navegaran en sus veleros en busca de nuevas rutas para el comercio, la gente tenía ideas extrañas acerca de la forma de la tierra. No sabiendo aún qué es una **esfera** (objeto con forma de bola), se imaginaban que era un cubo, un cono, un cilindro, una figura con múltiples lados, una espiral, una isla que flotaba sobre aguas interminables, o una superficie plana bajo un domo redondo.

La gente siempre ha tenido curiosidad por saber lo que hay detrás de las montañas y al otro lado de los mares, pero antes del siglo XIII pocos se aventuraban a alejarse de casa. Fue hasta fines del siglo XV que se hicieron exploraciones en el Océano Atlántico, que entonces se conocía como "Mar de la Oscuridad". No es difícil comprender por qué estos marinos temían explorar las aguas que se creía eran hogar de monstruos gigantes que empujaban los barcos a las profundidades marinas y devoraban a la gente que iba a bordo de ellos.

Los primeros exploradores europeos navegaban audazmente por lo desconocido igual que los astronautas actuales exploran el espacio. Muchas veces los exploradores se juegan la vida para descubrir lo desconocido. En este juego algunos pierden, pero otros triunfan. Con cada triunfo cambian las ideas acerca del mundo en que vivimos y aumentan nuestros conocimientos de geografía.

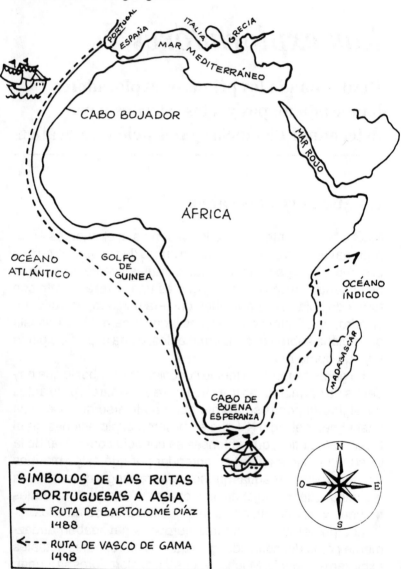

SÍMBOLOS DE LAS RUTAS
PORTUGUESAS A ASIA
← RUTA DE BARTOLOMÉ DÍAZ
1488
←--- RUTA DE VASCO DE GAMA
1498

Pensémoslo bien

En el siglo XV el príncipe Enrique de Portugal pensó que sería posible llegar a Asia navegando alrededor del África. Envió una flota; pero sus marineros se negaron a ir al sur más allá de Cabo Bojador, porque se creía que en las rocas cercanas los monstruos devoradores de hombres esperaban a los barcos que pasaran.

Usa el mapa de las rutas portuguesas a Asia para contestar las siguientes preguntas:

1. ¿Quién fue el primer capitán de marina que navegó más allá de las amenazadoras rocas de Cabo Bojador?
2. ¿Dónde se encuentra el Cabo de Buena Esperanza?

Respuestas

1. *¡Piensa!*
   - ¿Cuál de los dos símbolos de ruta tiene la fecha más antigua?
   - Encuentra el símbolo de esa ruta en el cuadro de símbolos. ¿De quién es esa ruta?

   Bartolomé Díaz fue el primero en navegar más allá de Cabo Bojador, en 1488.

2. *¡Piensa!*
   - Encuentra el nombre del Cabo de la Buena Esperanza en el mapa.
   - ¿Cuál es su posición (arriba, en medio, abajo)?
   - ¿Cuál es el nombre de la sección de tierra en que está impreso?

   El Cabo de la Buena Esperanza se encuentra en la punta más baja de África.

Ejercicios

En 1492 Colón usó mapas elaborados por el geógrafo griego Ptolomeo (87-150 de la Era Cristiana), en los que aparecía la circunferencia de la tierra 11 200 km (7 000 millas) más pequeña de lo que es en realidad. Creyendo que la tierra era redonda, navegó rumbo al poniente con la esperanza de descubrir una ruta más corta a las Islas de las Especias (hoy Islas Molucas) de la India. Usa el mapa de la ruta de su viaje para contestar las siguientes preguntas:

1. ¿En qué país se inició el viaje de Colón?
2. ¿Dónde desembarcó después de cruzar el Océano Atlántico?

Actividad: OBSERVACIÓN DE LAS ESTRELLAS

Objetivo Usar la posición de Polaris (Estrella Polar) para determinar la latitud de tu casa.

Materiales *tijeras*
regla
cuerda (cordón)
2 lápices
perforadora para papel
cartulina de 60 x 35 cm (24 x 14 pulgadas)
bolígrafo (pluma)
transportador
ayudante
cinta adhesiva transparente

Procedimiento

Nota: *Los pasos 5 al 9 de esta actividad se deben realizar al aire libre, en una noche despejada y sin luna.*

■ Dibuja un semicírculo en la orilla de la cartulina siguiendo estos pasos:
- Corta un pedazo de cuerda de 45 cm (18 pulgadas).
- Amarra uno de los extremos de la cuerda alrededor de uno de los lápices.
- Usa la perforadora para hacer un agujero en el punto medio de uno de los lados largos de la cartulina.
- Coloca en posición vertical el primer lápiz (el que tiene la cuerda) en el centro del agujero, con el borrador hacia abajo. Pon el segundo lápiz a una distancia de 30 cm (12 pulgadas) con la punta hacia abajo. Pide a tu ayudante que detenga ambos lápices en posición vertical mientras amarras el otro extremo de la cuerda, sin tensar, de manera que entre los dos lápices quede un tramo de cuerda de 30 cm (12 pulgadas) de largo.

- Sujeta el primer lápiz en el agujero mientras tiras del segundo hasta que la cuerda quede tensa.
- Mantén tensa la cuerda y mueve la punta del segundo lápiz sobre la cartulina hasta dibujar un semicírculo.

EXPLORADORES

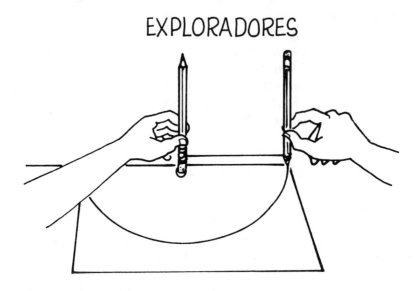

- ■ Recorta el semicírculo.
- ■ Marca en el semicírculo las letras "N" (norte), "S" (sur) y la palabra "cenit" como se indica en el diagrama.
- ■ Corta un segundo tramo de cuerda de 45 cm (18 pulgadas de largo) y átalo a través del agujero en el semicírculo de papel. Pon un pedazo de cinta adhesiva en el agujero.
- ■ Sal al patio de tu casa o a la calle. Sujeta el semicírculo de papel contra uno de los lados de tu cara de manera que su orilla plana esté a la altura de tus ojos, que el cenit (parte superior) apunte hacia arriba y que el extremo del norte quede al frente.
- ■ Sujeta con una mano el extremo de la cuerda y tira de ella hacia la orilla norte del semicírculo.

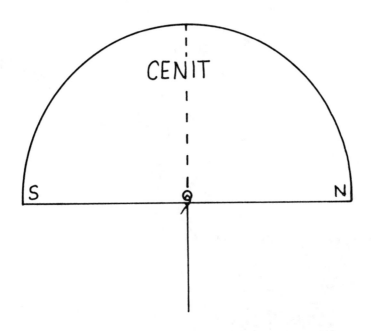

- Gira hasta encontrar la constelación de la Osa Mayor. Alínea las dos estrellas exteriores de la bóveda de la Osa Mayor. Polaris (la Estrella Polar) está directamente al frente.
- Cierra un ojo y usa el otro para alinear la cuerda con Polaris.
- Pide a tu ayudante que marque con un punto la orilla exterior del semicírculo donde la cuerda lo atraviesa.
- Con un transportador y el punto, determina el ángulo de Polaris en el cielo.

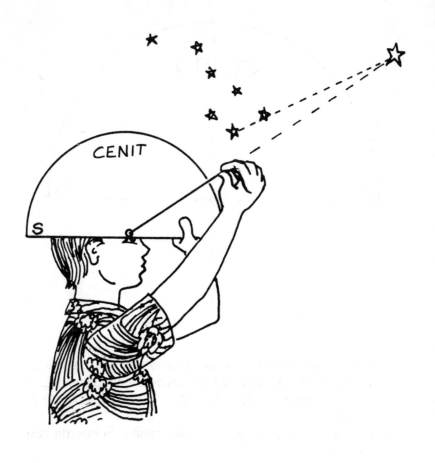

Resultados El ángulo de Polaris sobre el horizonte varía según el lugar donde vivas.

¿Por qué? El ángulo de Polaris (más conocida como Estrella Polar) en el horizonte, es igual a la latitud del observador. (En el próximo capítulo se explica la latitud). En la figura, Polaris está en el norte, aproximadamente a 33 grados arriba del horizonte, que es donde Polaris aparece al observador que vive en una latitud de 33 grados norte (33° N). Si la persona se trasladara a otro lugar a 40 grados de latitud norte (40° N), Polaris se vería a 40 grados norte sobre el horizonte. Los primeros exploradores usaron para navegar la **altitud** (altura) de Polaris arriba del horizonte.

Soluciones a los ejercicios

1. ¡Piensa!

- La flecha indica la dirección de la ruta de Colón. ¿Cuál es el nombre del país que está en la cola o principio de la flecha?

Colón inició su viaje en España.

2. ¡Piensa!

- ¿Cuál es el nombre de la isla y cuál es el nombre del grupo de islas que están en la punta o final de la flecha?

Colón tocó tierra en San Salvador, Indias Occidentales

4

Localización global

Cómo usar la latitud y la longitud para encontrar lugares en un mapamundi

---

Lo que necesitas saber

Los cartógrafos usan líneas en sus mapas y globos terráqueos para facilitar la localización de lugares en la tierra. Estas líneas se llaman líneas de **latitud** y de **longitud**. No se encuentran realmente en la tierra, son imaginarias y facilitan el uso de globos terráqueos y mapas. Las líneas que rodean el globo en dirección este-oeste se llaman **paralelos de latitud**, porque la distancia entre ellas es siempre la misma. El **ecuador** es la línea de latitud equidistante del polo norte y el polo sur, como se muestra en la página 44. Es el punto de partida, cero grados de latitud (0°) para medir distancias al norte y al sur del ecuador.

Las líneas que circundan el globo en dirección norte-sur se llaman **meridianos de longitud**. Greenwich, Inglaterra (cerca de Londres) fue el lugar elegido como cero grados de longitud (0°), o el **primer meridiano**, porque allí se encontraba el observatorio astronómico más importante de esa época. El primer meridiano corre del polo norte al polo sur pasando por Greenwich y es el punto de partida para medir distancias en grados este (a la derecha) 0° grados oeste (a la izquierda).

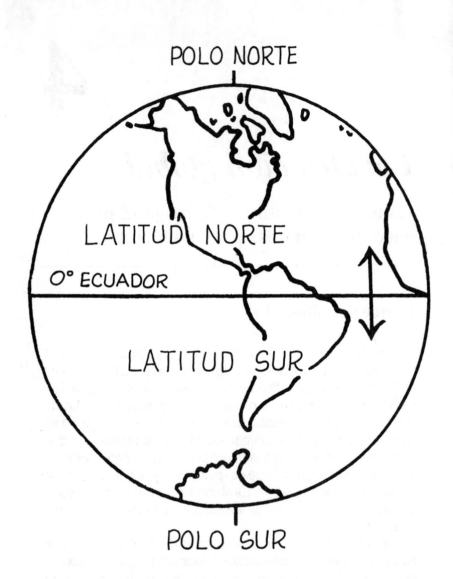

POLO NORTE

LATITUD NORTE

0° ECUADOR

LATITUD SUR

POLO SUR

44

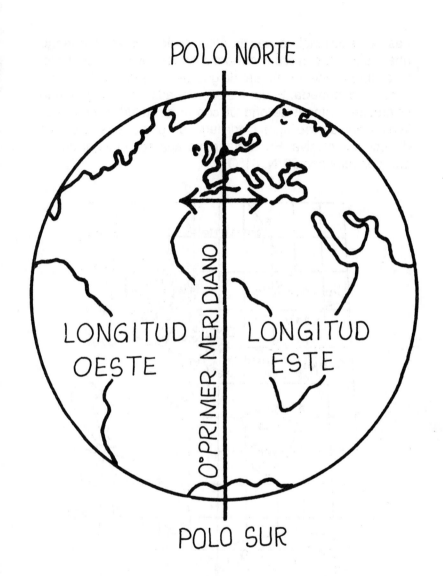

POLO NORTE

LONGITUD OESTE

LONGITUD ESTE

0° PRIMER MERIDIANO

POLO SUR

Las líneas de longitud y las de latitud se entrecruzan formando una cuadrícula con espacios horizontales y verticales idénticos. Cada línea tiene un número de grados y una dirección y se le llama **coordenada**. El dar las coordenadas del punto donde se cruzan las líneas de longitud con las de latitud, es como dar la dirección de ese lugar. Cada lugar del globo tiene su propia dirección exclusiva. En el diagrama aparece el lugar cuyas coordenadas son 29°N, 81°O.

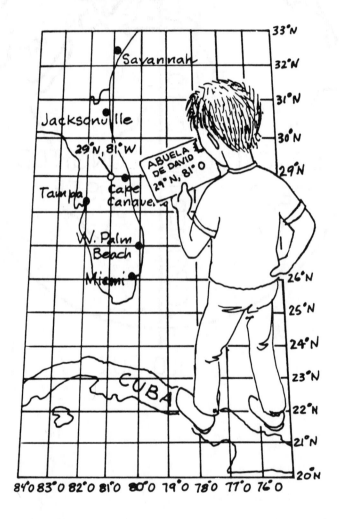

Pensémoslo bien

Usa los mapas de longitud y latitud para contestar las siguientes preguntas:

1. ¿Cuál es la coordenada de latitud del ecuador?
2. ¿Por cuál subcontinente pasa la latitud 60°N?

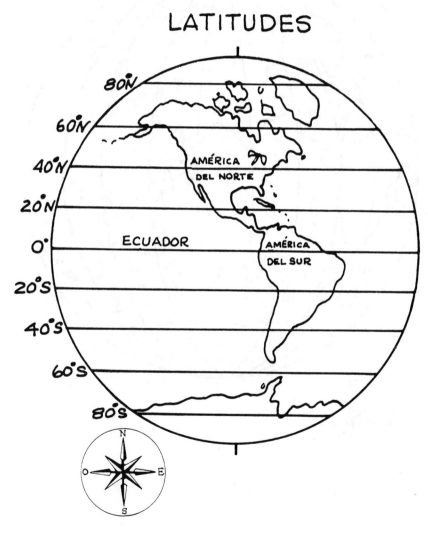

LATITUDES

3. ¿Qué coordenadas de longitud pasan por Australia?

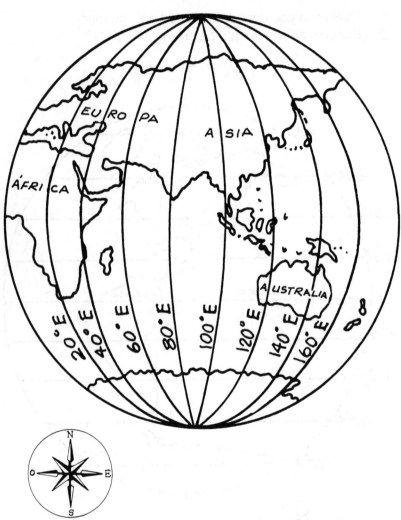

Respuestas

1. ¡Piensa!

- ¿Cuál es el número de la línea de latitud llamada ecuador?

Cero

- ¿Tiene esta latitud alguna dirección norte o sur?

No. Cero grados (0°) es la coordenada de latitud para el ecuador.

2. ¡Piensa!

- ¿Dónde quedan los 60°N? Hay dos líneas de 60° en el mapa, una al norte (arriba) y otra al sur (abajo) del ecuador. Una N en la coordenada indica que es la línea de latitud arriba del ecuador en el mapa.

La latitud 60°N pasa por el subcontinente de América del Norte.

3. ¡Piensa!

- Encuentra Australia en el mapa. ¿Cuántas líneas de longitud pasan por este continente?

Dos. Las coordenadas de longitud 120°E y 140°E pasan por Australia.

Ejercicios

Usa el mapa para identificar los países donde se encuentran las siguientes coordenadas:

1. 40°N, 5°O

2. 45°N, 25°E

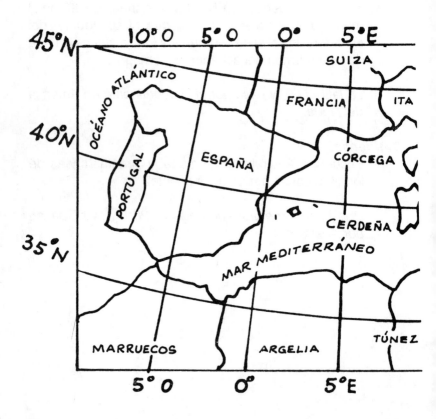

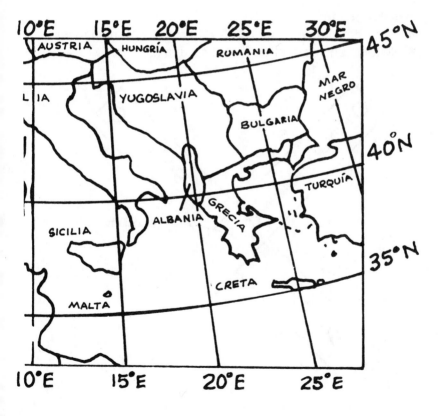

10°E   15°E   20°E   25°E   30°E   45°N

AUSTRIA   HUNGRÍA   RUMANIA

L IA   YUGOSLAVIA   MAR NEGRO

BULGARIA   40°N

GRECIA   TURQUÍA

ALBANIA   35°N

SICILIA

CRETA

MALTA

10°E   15°E   20°E   25°E

51

Actividad: MÁS ANCHA Y
MÁS PLANA

Objetivo   Determinar por qué son diferentes la medida de la circunferencia de la tierra en el ecuador y la circunferencia que pasa por los polos norte y sur.

Materiales   *tijeras*
regla
cartoncillo de 40 cm (16 pulgadas) de largo
lápiz adhesivo
perforadora para papel
lápiz

Procedimiento
- Corta dos tiras de papel de 5 x 40 cm (2 x 16 pulgadas)
- Pégalas en sus centros formando una x.

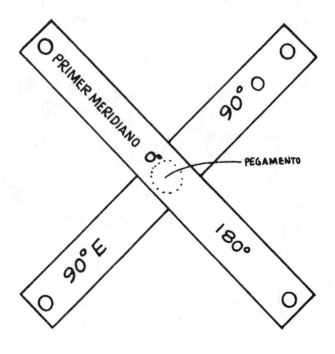

- Escribe en una cinta "Primer Meridiano 0°" y "180°" y en la otra 90°E y 90°W, como se indica en el diagrama.
- Junta las cuatro puntas de manera que se sobrepongan y pégalas de manera que formen una esfera.
- Deja secar el pegamento.
- Usa la perforadora para hacer un agujero en el centro de los extremos sobrepuestos.
- Mete el lápiz por el agujero hasta que las tiras se encuentren a unos 5 cm (2 pulgadas) debajo de la punta.
- Sujeta el lápiz entre las palmas de tus manos con las cintas de papel hacia abajo e imagínate una línea horizontal alrededor de la circunferencia más ancha de las tiras.
- Mueve las manos de atrás para adelante y de adelante para atrás para hacer que giren las tiras de papel y observa cómo cambia la distancia entre las tiras.

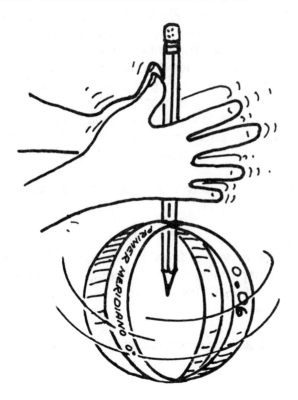

Resultados La rotación de las tiras hace crecer horizontalmente la circunferencia.

¿Por qué? La rotación de las tiras de papel soporta una fuerza que hace que se muevan hacia afuera y adquieran una forma más ancha y más plana. Como todas las esferas que giran, la tierra se hace más curva en el centro y se aplana en los polos. La circunferencia de la tierra en el ecuador es aproximadamente 44 km (27.5 millas) más grande que la circunferencia que pasa por los polos norte y sur.

Soluciones a los ejercicios

1. ¡Piensa!

- ¿Cuál es la coordenada de latitud? Las latitudes se miden en grados norte y grados sur. 40°N es la coordenada de latitud. Encuéntrala en el mapa.
- ¿Cuál es la coordenada de longitud? Las longitudes se miden en grados oeste y grados este. 5°O es la coordenada de longitud. Encuéntrala en el mapa.
- Sigue con tu dedo la línea de la latitud 40°N desde el extremo del mapa hasta llegar a la longitud 5°O. Identifica el país donde se cruzan estas dos líneas.

Las coordenadas 40°N y 5°O son las coordenadas de España.

2. ¡Piensa!

- Sigue con tu dedo la línea de la latitud 45° N desde el lado del mapa hasta el lugar donde se cruza con la línea de longitud 25°E. Identifica el país donde se cruzan estas dos líneas.

40°N y 25°E son las coordenadas de Rumania.

5

El mapa de una esfera: la Tierra

Comparación entre un globo terráqueo y un mapa plano

Lo que necesitas saber

El mapa más preciso y realista de la tierra es un globo terráqueo, ya que es menor la distorsión en las distancias, direcciones, tamaños y formas que en un mapa plano. Pero como es difícil trabajar sobre un globo, los cartógrafos deben hacer primero una representación plana de la Tierra, que es esférica. Deben "arrancar" la capa exterior del globo en una pieza y extenderla. Pero las superficies curvas no pueden extenderse aplanadas, excepto si se corta la superficie del globo de arriba a abajo en secciones largas, elípticas, y puntiagudas. A estas secciones los cartógrafos las llaman **husos**.

El problema consiste en transferir los detalles de los husos separados a un solo mapa plano con pocos errores y distorsiones. Siempre habrá un error en todos los mapas planos debido a la imposibilidad de hacer un mapa bidimensional que dé una imagen exacta de una estructura tridimensional. Un mapa plano puede mostrar adecuadamente el tamaño o la forma de las tierras y los mares, pero no puede mostrar ambas cosas sin un margen de error.

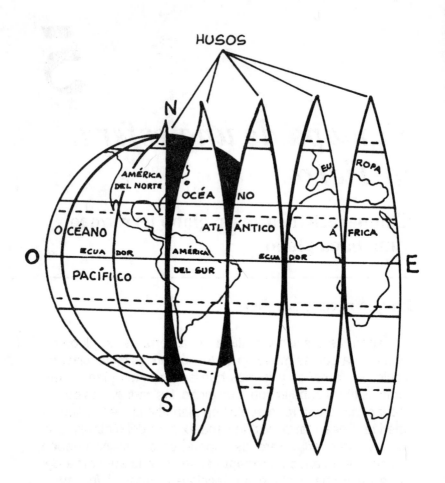

La **proyección** es la manera de transferir a un mapa plano información acerca de la superficie de la tierra. El **Mapa de Proyección de Mercator** es el más apropiado para la navegación porque porporciona direcciones reales y formas precisas de las tierras y las aguas, pero exagera los tamaños de las tierras que se encuentran a grandes distancias del ecuador como las áreas cercanas al Polo Norte y al Polo Sur.

Pensémoslo bien

1. Compara las líneas de longitud y latitud del globo terráqueo que aparece en esta página con las que aparecen en el Mapa Mercator de Proyección de la página siguiente.
2. Compara el tamaño de Groenlandia con el de América del Sur en el globo y en el Mapa Mercator de Proyección.

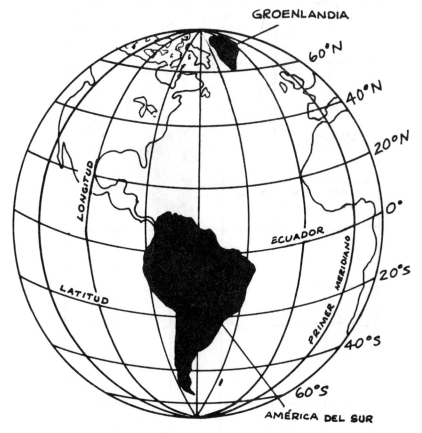

GLOBO TERRÁQUEO

GROENLANDIA

ECUADOR

AMÉRICA DEL SUR

MAPA DE PROYECCIÓN DE MERCATOR

Respuestas

¡Piensa!

1. Las líneas de longitud y latitud son curvas en el globo, pero ambas son rectas en el Mapa Mercator de Proyección.
2. La isla de Groenlandia es mucho más pequeña que Sudamérica en el globo, pero es más grande en el Mapa Mercator de Proyección.

Ejercicios

Dibuja un Mapa Mercator de Proyección de las tierras que están abajo del ecuador usando el mapa de seis husos de la página 60. Construye tu mapa siguiendo los pasos que se indican a continuación:

1. Traza la cuadrícula del Mapa Mercator de Proyección de la página 60 en una hoja de papel.
2. Dibuja todas las regiones que se localizan en cada cuadro del mapa de seis husos sobre el mismo cuadrado del Mapa Mercator de Proyección.

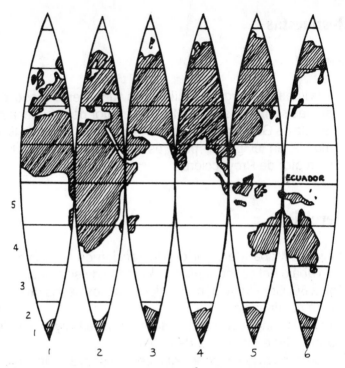

MAPA DE PROYECCIÓN DE MERCATOR

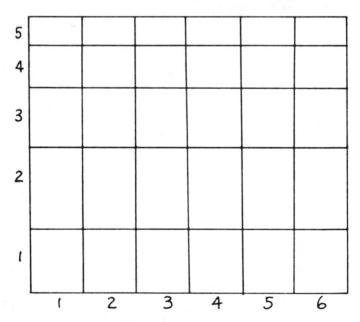

Actividad: "PELAR" LA TIERRA

Objetivo Simular el corte de la "cáscara" de la tierra en husos para formar un mapa plano.

Materiales *ayudante adulto*
naranja grande
cuchillo (utilizarlo con la supervisión del adulto)
toalla de papel
bolígrafo (pluma)
papel copia

Procedimiento

- Pide a tu ayudante que corte la cáscara de la naranja en cuatro secciones de igual tamaño, de arriba a abajo.
- Pela cuidadosamente cada sección sin que se rompan y oprime la cara exterior de la cáscara en la toalla de papel.

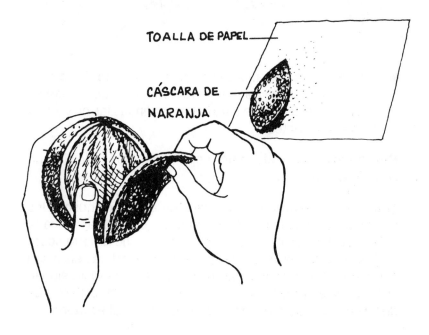

TOALLA DE PAPEL

CÁSCARA DE NARANJA

- Dibuja, siguiendo los cuatro patrones del mapa, las regiones del planeta en los cuatro pedazos separados de cáscara de naranja.
- Coloca los pedazos de cáscara de naranja uno al lado del otro y observa cómo se unen los continentes.

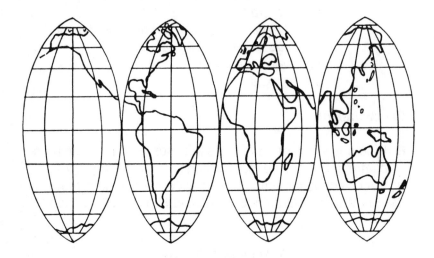

- Coloca la hoja de papel copia sobre la cáscara de naranja y traza la forma de las características de la tierra, extendiendo las líneas para hacer continuas las divisiones de los continentes.

Resultados Se produce un mapa plano partiendo de una superficie curva.

¿Por qué? Si cortaras la "cáscara" de la tierra en husos y los extendieras como hiciste con la naranja, obtendrías el mapa más exacto del planeta. Al trazar los rasgos de la tierra sobre los husos tomados de la naranja, se dejan aberturas en lo que son masas de tierra continuas. Al unir los husos se distorsionan la forma y el tamaño reales de los rasgos de la tierra. La distorsión es mayor en los polos y menor en el ecuador.

Soluciones a los ejercicios

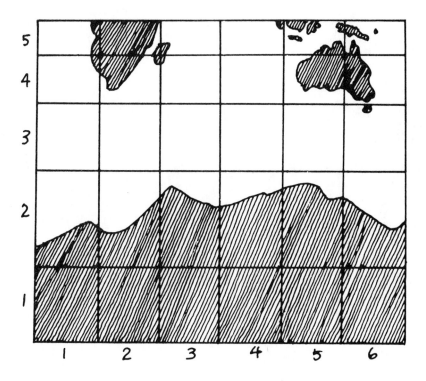

6

El uso de la escala en un mapa

Determinación de la distancia entre dos puntos de la Tierra

Lo que necesitas saber

En la ilustración aparecen dos mapas, uno de África y otro de Burkina. El de África representa un continente y el de Burkina representa un país que se encuentra en ese continente, con

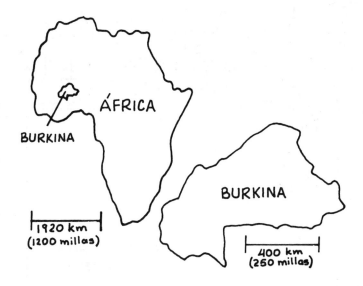

un área mucho menor, pero que se aprecia casi tan grande como el mapa de África.

La escala es una clave en la que se usa una medida pequeña para representar un área mayor. La longitud de la escala representa una distancia específica, generalmente en kilómetros (o millas). Por ejemplo 2.5 cm (una pulgada) en el mapa de Burkina es igual a 400 kilómetros (250 millas).

Puedes usar una tarjeta para ficha bibliográfica para calcular las distancias en un mapa. Coloca la esquina superior izquierda de la tarjeta al principio de la escala y marca el punto donde la escala termina. Marca en la orilla de la tarjeta todas las divisiones consecutivas que puedas.

Pensémoslo bien

Usa el mapa para calcular la distancia que hay entre la casa de Erik y la de Tina, midiendo la distancia entre los puntos marcados con X en la acera.

Marca en la tarjeta la escala del mapa. Coloca la tarjeta a lo largo de la línea que representa la acera entre la casa de

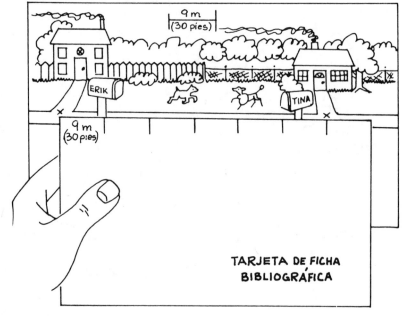

TARJETA DE FICHA
BIBLIOGRÁFICA

Erik y la de Tina. La orilla izquierda de la tarjeta debe estar sobre la X que marca la posición de la casa de Erik. Cuenta la cantidad de marcas que tiene la tarjeta entre las dos casas. ¿Cuál es la distancia en metros (pies) que hay entre la casa de Erik y la de Tina?

Respuesta

¡Piensa!

- Hay seis marcas entre las casas y cada una de ellas representa 9 metros (30 pies).

La distancia entre las casas es de 6 x 9 m (6 x 30 pies), o sea 54 m (180 pies).

Ejercicios

Usa el mapa del jardín botánico para determinar las distancias entre los siguientes puntos:

1. El olmo y el roble.
2. El olmo y los nenúfares (siguiendo las rutas)

PLANO DEL JARDÍN BOTÁNICO

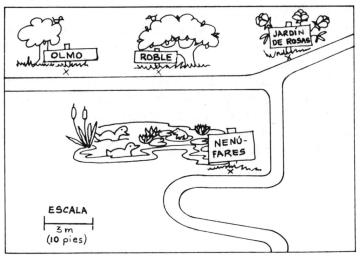

Actividad: LOS PIES

Objetivo Dibujar un modelo a escala de un cuarto, usando tus pies como escala

Materiales *tus pies*
regla de 1 metro (1 yarda)
lápiz
hoja de papel

Procedimiento

■ Pon el talón de uno de tus pies en uno de los extremos de la regla.

■ Registra el largo de tu pie y redondea la medida al cm (o pulgada) más próximo.

■ Mide con tus pies el ancho (lado más corto) de un cuarto, usando el siguiente procedimiento:

  • Párate con el talón de uno de tus pies contra una de las paredes más largas y pon el talón de tu otro pie pegado a los dedos del primer pie. En esta posición estás a "dos pies" de la pared.

  • Levanta el pie de atrás y pon tu talón contra los dedos del segundo pie. En esta posición estás a "tres pies" de la pared.

  • Continúa caminando en línea recta a todo lo ancho del cuarto. Cuenta los pasos que des. Cuenta el último paso, sólo si mide cuando menos la mitad de tu pie.

■ Repite el procedimiento en una pared adyacente para medir el largo (lado más largo) del cuarto.

■ Dibuja un plano del cuarto usando el dibujo de un pie para representar la escala del mapa, y huellas de pies para indicar el método con que se midió el cuarto. Mide el largo de tu pie para determinar la escala al pie del mapa.

Resultados El número de huellas depende del largo y ancho del cuarto y del largo de tu pie. El pie de la autora mide 23 cm (9 pulgadas) de largo y el cuarto que ella midió tiene 8 x 11 "pies".

¿Por qué? La mayoría de los mapas presentan una escala que se asemeja a un segmento de regla, pero la escala de tu mapa está representada por un pie. El largo y el ancho de tu cuarto son iguales al número de huellas a lo largo de ellos, multiplicadas por el largo de tu pie. Las medidas del cuarto de la autora se calcularían como sigue:

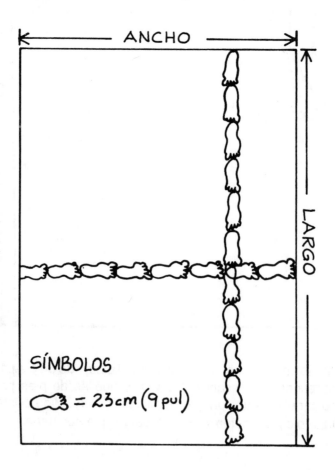

El ancho tiene 8 huellas x 23 cm (9 pulgadas), es decir, 184 cm (72 pulgadas).

El largo es de 11 huellas x 23 cm (9 pulgadas), es decir, 253 cm (99 pulgadas).

Soluciones a los ejercicios

1. ¡*Piensa*!

- ¿Cuántas divisiones de la escala hay entre el olmo y el roble? Dos

- ¿Qué distancia representa cada división de la escala? 3 m (10 pies)

La distancia entre los dos árboles es de 2 x 3 m (2 x 10 pies), es decir, 6 m (20 pies).

PLANO DEL JARDÍN BOTÁNICO

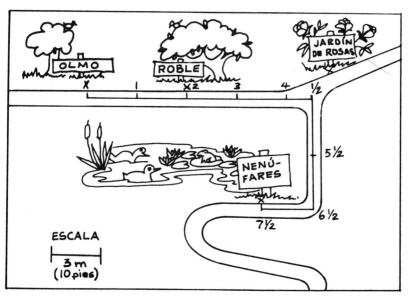

2. ¡Piensa!

- ¿Cuántas divisiones de la escala hay entre el olmo y los nenúfares? 7 1/2
- ¿Qué distancia representa cada división de la escala? 3 m (10 pies)

La distancia entre el olmo y los nenúfares es de 7 1/2 x 3 m (10 pies)

- ¿Cuánto miden 7 divisiones? 7 x 3 m (7 x 10 pies), es decir, 21 m (70 pies).
- ¿Cuánto mide 1/2 de una división? 1.5 m (5 pies).

La distancia entre el olmo y los nenúfares es de 21 m (70 pies) + 1.5 m (5 pies), es decir, 22.5 m (75 pies).

7

Cómo localizar lugares

Cómo leer y usar un mapa de cuadrícula

Lo que necesitas saber

Muchas veces los planos de caminos y calles están divididos en cuadros de igual tamaño, que forman una cuadrícula.

VECINDARIO DE ALFREDO

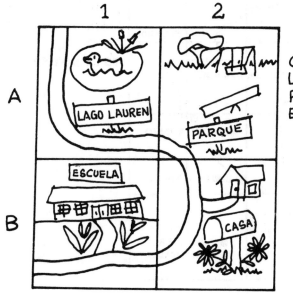

ÍNDICE

CASA	B2
LAGO LAUREN	A1
PARQUE	A2
ESCUELA	B1

Estos cuadros están marcados con letras a un lado del plano y números arriba, como en el plano del vecindario de Alfredo.

Para leer un plano cuadriculado, encuentra en el índice el nombre del lugar que quieras visitar. Los nombres aparecen en orden alfabético y cada nombre va seguido de una combinación de una letra y un número que indica un cuadro específico del plano. Busca dentro del cuadro y encontrarás el nombre del lugar que quieres visitar.

Pensémoslo bien

Usa el índice del mapa de Sudamérica para localizar la ciudad de Río de Janeiro.

ÍNDICE

BUENOS AIRES	C3
LIMA	B2
MANAOS	B3
QUITO	B2
RÍO DE JANEIRO	C3

Respuesta

¡Piensa!

- Encuentra Río de Janeiro en el índice. Está marcado con la combinación C3.
- Encuentra la letra C en el lado izquierdo del mapa. Todos los bloques de la línea horizontal a la derecha de la letra C son cuadros C.
- Encuentra el número 3 en la parte superior del mapa y sigue con tu dedo, de arriba abajo, los cuadros bajo el número 3, hasta llegar a la fila de los cuadros C (tercer cuadro de arriba a abajo).
- ¿Dónde está Río de Janeiro dentro de C3?

Río de Janeiro está en la esquina superior derecha de C3.

Ejercicios

1. En el cuadro de símbolos aparecen los símbolos que representan a cada edificio. Usa el cuadro de símbolos del mapa de Stephenville para encontrar los siguientes lugares:

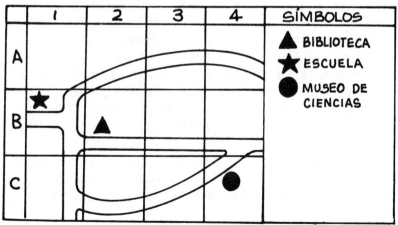

a. La biblioteca
b. La escuela
c. El museo de ciencias
¿Cuál es la combinación de letra y número de cada uno de ellos?

2. ¿Cuál está más cerca de la escuela, la biblioteca o el museo de ciencias?

Actividad: AMPLIFICACIÓN

Objetivo Usar una cuadrícula para amplificar un cuadro.

Materiales *regla de 1 metro (1 yarda)*
bolígrafo (pluma)
cartulina de 45 cm² (18 pulg²)
lápiz y borrador (goma)
crayones
tijeras

Procedimiento

- Usa la regla y el lápiz para trazar una línea de 40 cm (16 pulgadas) a lo largo de la parte alta de la cartulina. La línea debe quedar a 2.5 cm (1 pulgada) de la orilla superior y a 2.5 cm (1 pulgada) de cada lado del papel.
- Dibuja otras cuatro líneas de 40 cm (16 pulgadas), con una distancia de 10 cm (4 pulgadas) entre una y otra.
- Dibuja cinco líneas verticales que se crucen con las horizontales, a una distancia de 10 cm (4 pulgadas) entre una y otra para formar una cuadrícula de 16 cuadros.
- Marca los cuadros con los números 1, 2, 3 y 4 de arriba a abajo y con las letras A, B, C y D de izquierda a derecha, como en el dibujo del payaso de la página siguiente.

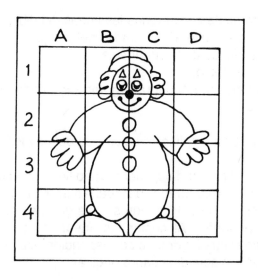

- Para ampliar el dibujo del payaso, comienza con el cuadro A2 (en el cuadro A1 no hay líneas). Copia con el lápiz las líneas del cuadro A2 del dibujo del payaso en el cuadro A2 de tu cartulina.
- Repite el procedimiento con el cuadro A3.

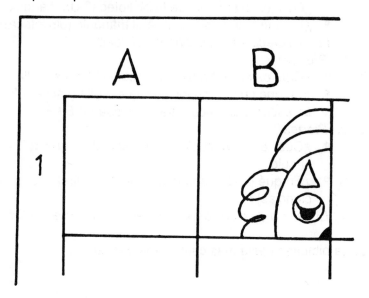

- Continúa hasta copiar todas las líneas del dibujo.
- Marca con el bolígrafo las líneas del dibujo.
- Borra las líneas de la cuadrícula.
- Colorea el dibujo.
- Corta alrededor del cuadrado grande, quitando las letras y números.

Resultado   Una ampliación coloreada del payaso.

¿Por qué? El primer dibujo del payaso tiene una cuadrícula compuesta de 16 cuadrados de igual tamaño. El dibujo que tú hiciste también tiene 16 cuadros, más grandes que los del diagrama pequeño. Al copiar las líneas de cada cuadro pequeño en el cuadro grande correspondiente, obtienes una amplificación exacta del cuadro original.

Soluciones a los ejercicios

1. *a.* **¡Piensa!**
   - ¿Cuál es el símbolo de la biblioteca? Un triángulo.
   - ¿En qué cuadro se localiza el triángulo (biblioteca)?
   La biblioteca se encuentra en el cuadro B2
   b. **¡Piensa!**
   - ¿Cuál es el símbolo de la escuela? Una estrella.
   - ¿En qué cuadro se localiza la estrella (escuela)?
   La escuela se encuentra en el cuadro B1
   c. **¡Piensa!**
   - ¿Cuál es el símbolo del museo de ciencias? Un círculo.
   - ¿En qué cuadro se encuentra el círculo (museo de ciencias)?
   El museo de ciencias se encuentra en el cuadro C4

2. La biblioteca está más cerca de la escuela.

8

Los símbolos

Cómo usar los símbolos al leer un mapa

Lo que necesitas saber

Los cartógrafos usan símbolos, por ejemplo, estrellas para representar las capitales de los estados y puntos para las demás ciudades. Otros símbolos pueden representar sitios campestres, carreteras, parques, etc. Con líneas, puntos, colores, figuras geométricas y otros diseños se puede representar cualquier cosa, desde la cantidad de osos pardos hasta

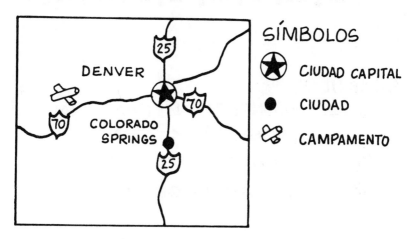

Melville

MANITOBA

Weyburn

Estevan

Winnepeg

CANADÁ

ESTADOS UNIDOS

Minot

Williston

DAKOTA DEL NORTE

Bismarck

SÍMBOLOS

—••— FRONTERA INTERNACIONAL

—•—•— FRONTERA ESTATAL

CIUDAD CAPITAL

CIUDAD IMPORTANTE

fronteras nacionales e internacionales. En el cuadro de símbolos del mapa de la página 79, se presenta una lista de los diferentes símbolos, la cual sirve para descubrir el significado secreto del mapa.

Pensémoslo bien

Usa el mapa de Dakota del Norte y Manitoba de la página 80, para contestar las siguientes preguntas:
1. ¿Cuál es la ciudad capital de Dakota del Norte?
2. ¿Cuáles ciudades no se encuentran en el mismo país?
   a. Estevan y Weyburn.
   b. Estevan y Williston.

Respuestas

1. ¡Piensa!
- ¿Cuál es el símbolo de las ciudades capitales?

Una estrella dentro de un círculo

- ¿Qué ciudad de Dakota del Norte tiene una estrella dentro de un círculo junto a su nombre?

Bismarck es la ciudad capital de Dakota del Norte

2. ¡Piensa!
- ¿Cuál es el símbolo de la frontera internacional?

— •• —

- ¿En cuál de las dos respuestas se presentan los nombres de las ciudades que se encuentran en diferentes países?

b. Estevan y Williston no están en el mismo país.

Ejercicios

El Sr. González sale de vacaciones. Ha elaborado un plano de su ruta postal para la srita. Gómez, que lo sustituye. Usa el mapa para contestar estas preguntas:

1. ¿En qué calle no encontrará perros la srita. Gómez?

2. ¿En cuántas casas hay personas que duermen durante el día?

3. ¿En qué calles hay perros bravos?

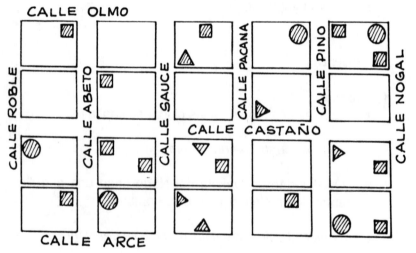

RUTA POSTAL DEL SR. GONZÁLEZ

- ⊘ PERSONAS QUE DUERMEN DE DÍA
- △ PERROS BRAVOS
- ▧ PERROS AMISTOSOS

Actividad: PLANO DEL PARQUE

Objetivo Elaborar el plano del parque de tu vecindario usando símbolos.

Materiales *el parque de tu colonia*
una madeja de cuerda (cordón)
5 lápices
regla
hoja de papel para escribir a máquina

Procedimiento

■ Escoge un área del parque donde haya la mayor cantidad posible de estos elementos: árboles, arbustos, mesas, caminos, flores, botes para basura, juegos, etcétera.

■ Usa la cuerda y cuatro de los lápices como estacas para marcar un área cuadrada, 30 pasos gigantes por lado aproximadamente.

- Mide y dibuja un cuadro de 15 x 15 cm (6 x 6 pulgadas) en la parte superior de tu hoja de papel.
- Dibuja una caja debajo del cuadrado, y ponle el título "Sección del Parque #1) (puedes incluir el nombre del parque en el título).
- Bajo el título, escribe una lista de elementos y sus símbolos. Puedes usar los símbolos del diagrama o crear los tuyos propios.

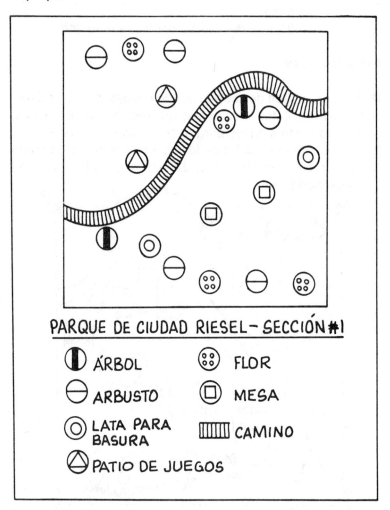

PARQUE DE CIUDAD RIESEL - SECCIÓN #1

①	ÁRBOL	⚇	FLOR
⊖	ARBUSTO	▣	MESA
◎	LATA PARA BASURA	▦	CAMINO
⊿	PATIO DE JUEGOS		

■ Dibuja el símbolo de cada elemento en el cuadro, aproximadamente en el mismo lugar en que se encuentra en el área de 30 pasos gigantes (parque).

Resultados La elaboración de un plano con símbolos.

¿Por qué? Se usan símbolos para representar las características físicas y elementos del parque. La posición de cada símbolo señala la ubicación de cada objeto.

Soluciones a los ejercicios

1. ¡Piensa!
- ¿Cuáles son los símbolos de los perros?

Un cuadrado y un triángulo

- ¿En qué calle no hay cuadrados ni triángulos como símbolos?

La srita. Gómez no encontrará ningún perro en la Calle Roble

2. ¡Piensa!
- ¿Cuál es el símbolo de las personas que duermen de día?

Un círculo

- ¿Cuántos círculos hay en el plano?

En cinco casas hay personas que duermen durante el día.

3. ¡Piensa!
- ¿Cuál es el símbolo de los perros bravos?

Un triángulo

- ¿En qué calles hay triángulos?

En las calles Arce, Sauce, Pacana, Pino y Castaño hay perros bravos.

9

Variación

Cómo encontrar la variación entre el norte geográfico y el norte magnético

Lo que necesitas saber

El **polo norte geográfico** (el verdadero Polo Norte) se encuentra en la latitud 90° N y es el punto donde el eje imaginario de la tierra se abre paso a través de la superficie. Este eje apunta hacia **Polaris** (la estrella polar). El **polo norte magnético** se encuentra a aproximadamente 75°N, 101°O. Es el punto de la superficie terrestre hacia donde apuntan los polos nortes de todos los imanes. El ángulo de diferencia entre la dirección hacia el norte geográfico y el norte magnético a partir de determinado punto de la tierra, se llama **ángulo de declinación o variación magnética.** Dependiendo del lugar donde se encuentre el observador, la variación puede ser cero, hacia el este o hacia el oeste del norte geográfico. La variación es mayor conforme el observador se acerca a los polos.

Caja de herramientas del geógrafo:
INDICADOR DE VARIACIÓN

Materiales *tijeras*
cartón corrugado
2 popotes, uno rayado y uno de color
chinche
mapa con el Polo Norte magnético y
el Polo norte geográfico
ayudante adulto

Construye un indicador de variación y úsalo en un mapa siguiendo este procedimiento:

Procedimiento

- Recorta el cartón en un cuadro un poco más ancho que un popote.
- Coloca los extremos de los popotes, uno encima del otro, sobre el cuadro de cartón.
- Pide a tu ayudante que clave la chinche atravesando ambos popotes y que quede dentro del cartón.

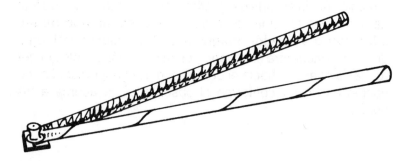

- Coloca el cartón en cualquier punto del mapa.

■ Abre o cierra los popotes de manera que el de color pase sobre el polo norte geográfico y el rayado pase sobre el polo norte magnético.

• Si el popote rayado queda a la derecha del de color, la variación es hacia el este.

• Si el popote rayado queda a la izquierda del de color, la variación es hacia el oeste.

• Si los popotes quedan uno encima del otro, la variación es cero.

Pensémoslo bien

Usa tu indicador de variación y el mapa siguiente para determinar la dirección de la variación desde los lugares donde se encuentran:

1. El Observador A.

2. El Observador B.

3. El Observador C.

Respuestas

1. ¡Piensa!

- ¿Se encuentra el popote rayado a la izquierda o a la derecha del de color? Está a la derecha.

Desde el lugar donde se encuentra el Observador A, la variación es hacia el este.

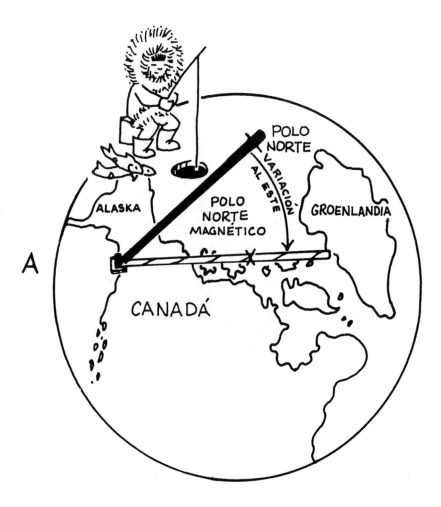

2. ¡Piensa!

- ¿Se encuentra el popote rayado a la izquierda o a la derecha del de color? No está a la derecha ni a la izquierda.

Desde el lugar donde se encuentra el Observador B, la variación es cero.

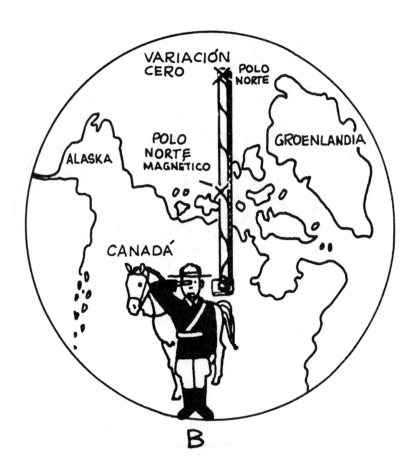

3. ¡Piensa!

- ¿Se encuentra el popote rayado a la izquierda o a la derecha del de color? Está a la izquierda.

Desde el lugar donde se encuentra el Observador C, la variación es hacia el oeste.

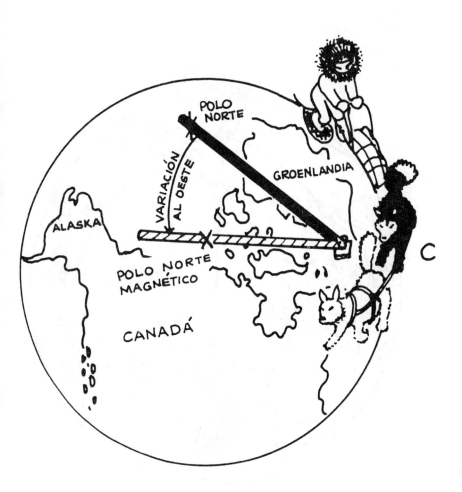

Ejercicios

Con tu indicador de variación y con las marcas (x) del siguiente mapa, determina la dirección de la variación para el observador que se encuentra en cada una de las siguientes ubicaciones geográficas:

1. Islas Hawaii.
2. Sudamérica.
3. África.

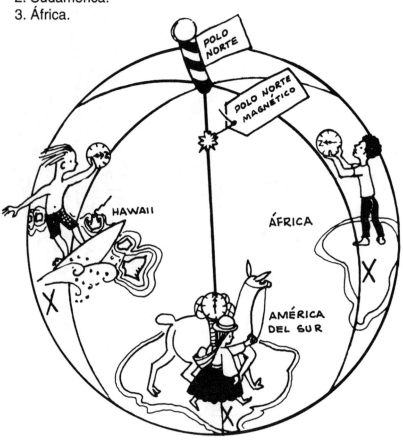

Actividad: ¿DÓNDE SE ENCUENTRA EL NORTE?

Objetivo Determinar la dirección de la variación en el lugar donde vives.

Materiales *tijeras*
regla
cuerda (cordón)
clavo grande
cartulina blanca
bolígrafo (pluma)
linterna eléctrica de mano
brújula
ayudante

Procedimiento

Nota*: Los pasos 3 al 11 de esta actividad se deben realizar al aire libre en una noche despejada y sin luna.*

■ Corta un trozo de cuerda que mida 30 cm (12 pulgadas) más que tu propia estatura.

■ Amarra al clavo una punta de la cuerda.

■ Extiende la cartulina en el suelo.

■ Enrolla el extremo libre de la cuerda alrededor de la punta de tu dedo índice derecho.

■ Párate en la orilla del papel con el pie derecho y el dedo índice derecho apuntando hacia Polaris (la Estrella Polar). (Encontrarás Polaris siguiendo una línea recta hacia arriba desde las dos estrellas exteriores de la bóveda de la Osa Mayor. Polaris queda directamente arriba).

■ Pide a tu ayudante que trace una línea recta del centro del dedo gordo de tu pie derecho hasta el punto que queda bajo el clavo que cuelga, manteniendo la linterna en una mano para alumbrar el papel.

POLARIS

POLARIS

- Señala el punto con una punta de flecha y ponle la marca "Polo Norte geográfico".
- Pon la brújula sobre la línea y haz que gire hasta que la letra N quede alineada con el extremo norte de la aguja de la brújula.
- Marca con puntos sobre el papel los extremos norte y sur de la aguja.
- Quita la brújula y traza una línea que una los dos puntos.
- Dibuja una punta de flecha en el extremo norte de esta línea y márcala como "polo norte magnético".

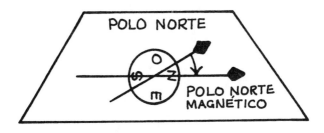

VARIACIÓN AL ESTE DESDE TEXAS

Resultados Se determina la dirección de la variación del lugar donde vives. Desde la casa de la autora, en Texas, la variación es hacia el este.

¿Por qué? A Polaris se le llama Estrella Polar. Esta estrella se encuentra directamente sobre el polo norte geográfico de la tierra. El extremo norte de la aguja de la brújula apunta hacia el polo norte magnético de la tierra. El ángulo entre la dirección de la línea trazada hacia Polaris y la dirección de la aguja magnética de la brújula, es la variación para el lugar donde se hacen las mediciones.

Soluciones a los ejercicios

1. Variación hacia el este.

2. Ninguna variación.

3. Variación hacia el oeste.

10

La Rosa de los Vientos

Cómo usar la *Rosa de los Vientos* para medir la dirección en un mapa

Lo que necesitas saber

La rosa de los vientos, que se usa para medir direcciones, es un círculo sobre el cual se marcan puntos que indican la dirección, grados o ambas cosas. Cada marca de grado representa una dirección; norte en 0°, oriente en 90°, sur 180° y poniente 270°.

Caja de herramientas del geógrafo: ROSA DE LOS VIENTOS

Materiales   papel copia
bolígrafo (pluma)
tijeras
lápiz afilado
regla
cuerda (cordón)
cinta adhesiva transparente
ayudante adulto

Haz una rosa de los vientos con el procedimiento de la página siugiente:

Procedimiento

- Con el papel copia y el bolígrafo, calca cuidadosamente el diagrama de la rosa de los vientos de la figura que aparece abajo.

- Recorta la rosa de los vientos.

- Pide a tu ayudante que haga un pequeño agujero en el centro de la rosa de los vientos, con la punta del lápiz.

- Haz pasar un tramo de cuerda de 20 cm (8 pulgadas) por el agujero y pega su extremo a la parte posterior del papel.

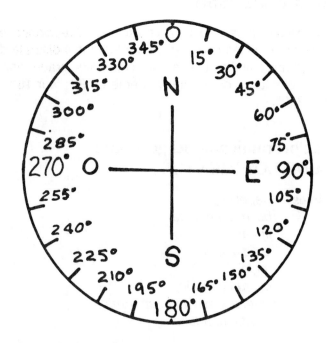

ROSA DE LOS VIENTOS

Pensémoslo bien

Con tu rosa de los vientos y el plano de los campamentos del Parque Beaver, haz el plano de una ruta del Campamento del Oso Corredor al Campamento del Azulejo.

Respuesta

¡Piensa!

- Coloca el centro de la rosa de los vientos sobre el símbolo del Campamento del Oso Corredor.
- Gira la rosa de los vientos hasta que la marca de 0° esté en línea con la flecha del norte magnético del mapa. En la mayoría de los mapas, la flecha del norte apunta hacia la parte superior del papel.
- Mantén la rosa de los vientos en su lugar mientras tiras de la cuerda y la colocas directamente sobre el símbolo del Campamento del Azulejo.

- Lee la marca de los grados sobre la que pasa la cuerda en la rosa de los vientos.

El campamento del Azulejo se encuentra en una dirección a 120 grados del norte magnético.

Ejercicios

Usando tu rosa de los vientos y el plano del vecindario de Tere, haz el plano de una ruta que la lleve de:

1. La escuela a casa de su abuelita.

2. Su casa a la nevería.

VECINDARIO DE TERE

SÍMBOLOS
- ESCUELA
- CASA DE ABUELITA
- NEVERÍA
- CASA DE TERE

Actividad: EL USO DE LA BRÚJULA

Objetivo Hacer una brújula con una rosa de los vientos y usarla para localizar el norte magnético.

Materiales *tu rosa de los vientos*
plato de cartón
regla
bolígrafo (pluma)
tazón pequeño para cereales
agua
tijeras
esponja para lavar platos
aguja de coser
imán de barra
cronómetro
ayudante

Procedimiento

- Extiende la rosa de los vientos en el centro del plato.
- Con la regla y el bolígrafo, marca 0°, 45°, 90°, 135°, 180°. 225°, 270° y 315° en la orilla del plato.
- Pon a estas marcas las letras N, NE, E, SE, S, SO, O, y NO.

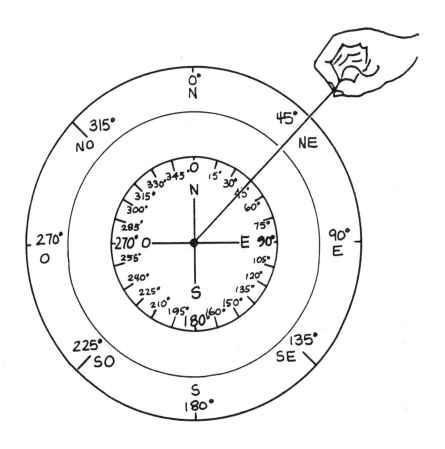

■ Quita la rosa de los vientos y coloca el plato sobre una mesa de madera.

■ Agrega agua al tazón hasta tres cuartas partes de su capacidad.

■ Acomoda el tazón en el centro del plato.

■ Corta un pedazo de esponja de 2.5 x 2.5 cm (1 x 1 pulgada) y métela en el agua.

■ Imanta una aguja de coser poniéndola encima del imán durante dos minutos, con la punta de la aguja apuntando al polo norte del imán.

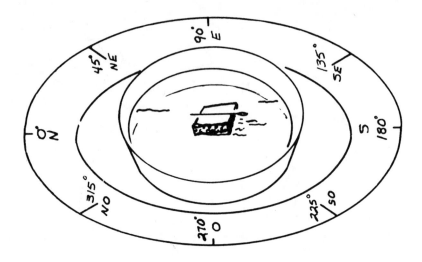

■ Pon la aguja encima de la esponja. Espera un minuto.

■ Pide a tu ayudante que levante un poquito el tazón mientras tú haces girar el plato hasta que la punta de la aguja flotante esté en alineación con la marca 0° del plato.

Resultados   La punta de la aguja magnética flotante apunta hacia 0° (N).

¿Por qué?   Una **brújula** es un instrumento que se usa para determinar direcciones por medio de una aguja magnética que siempre apunta hacia el polo norte magnético de la tierra. La parte principal de una brújula es su aguja magnética. La aguja debe estar libre para girar dentro de una posición norte-sur porque los polos de la aguja magnética buscan constantemente estar alineados con las líneas de fuerza magnética de la tierra. Los grados marcados en la rosa de los vientos indican direcciones en grados, separadas del norte magnético. Con la brújula y la rosa de los vientos se puede localizar el norte magnético y es posible determinar las direcciones en grados de una localidad a otra.

Soluciones a los ejercicios

1. ¡*Piensa*!

- Coloca el centro de la rosa de los vientos sobre el punto que marca la ubicación de la escuela.
- Haz girar la rosa de los vientos hasta que el 0°N se encuentre en línea con la flecha del norte magnético del mapa.
- Coloca la cuerda arriba del punto que señala la casa de la abuelita.
- Lee los grados sobre los que pasa la cuerda en la rosa de los vientos.

La casa de la abuelita se encuentra a 210 grados del norte

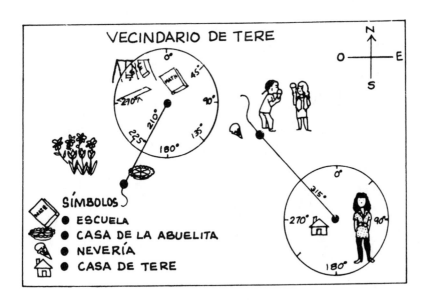

magnético.

2. ¡Piensa!

- Sigue los pasos anteriores para hacer el plano de una ruta de la casa de Tere a la nevería, empezando con la rosa de los vientos sobre el punto que marca la ubicación de la casa de Tere y colocando la cuerda sobre el punto de la nevería.

La nevería se encuentra a 315 grados del norte magnético.

11

Elaboración de un mapa del fondo del océano

Cómo determinar la profundidad del fondo del océano

Lo que necesitas saber

Más del 70 por ciento de la superficie terrestre está cubierta por agua. El fondo de los océanos tiene montañas, volcanes

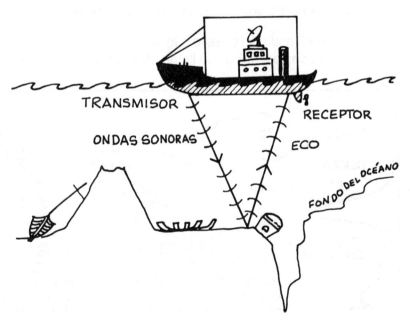

y zanjas, igual que las áreas de tierra. La **ondas ultrasónicas** (ondas sonoras de alta frecuencia) se utilizan para revelar el perfil del fondo del océano o para encontrar objetos como buques hundidos. El instrumento que manda estas ondas se llama **sonar**. Las ondas sonoras viajan en línea recta, atraviesan el agua y rebotan al chocar con un objeto. El tiempo que tarda su viaje se llama **tiempo de eco**, porque se escucha un eco cuando retornan las ondas. Las ondas sonoras viajan a través del agua a una velocidad de aproximadamente 1.46 km por segundo (4 800 pies). Como la mitad del viaje es de regreso, la distancia que hay hasta el fondo del océano se calcula al multiplicar la mitad de la velocidad del sonido por el tiempo de eco.

Pensémoslo bien

En las siguientes preguntas, calcula la profundidad del fondo del océano mediante la siguiente fórmula:

profundidad = 1/2 velocidad del sonido x tiempo de eco

1. La parte del fondo del océano que está entre la costa y las profundidades oceánicas se llama **plataforma continen-**

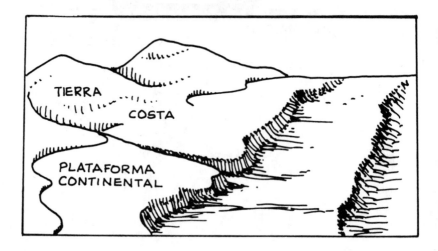

tal y su ancho varía de casi nada a aproximadamente 1 600 kilómetros (1 000 millas), con un promedio de aproximadamente 66 km (41millas). Calcula la profundidad de la plataforma continental en un área donde el tiempo de eco es de 0.1 segundo.

2. El punto más profundo de la tierra se encuentra en el Océano Pacífico, al sur de Guam, en un punto de la Zanja Mariana llamado Profundidad de Challenger. Calcula la profundidad en un lugar donde el tiempo de eco es de 15 segundos.

Respuestas

1. ¡Piensa!

- **Sistema inglés**
  profundidad en pies = 1/2 x 4 800 x 0.1
  1/2 x 4 800 = 2 400
  2 400 x 0.1 = ?
  profundidad en pies = 240 pies

- **Sistema métrico**
  profundidad en km = 1/2 x 1.46 x 0.1
  1/2 x 1.46 = 0.73
  0.73 x 0.1 = ?
  profundidad en km = 0.073

2. ¡Piensa!

- **Sistema Inglés**
  profundidad en pies = 1/2 x 4 800 x 15
  1/2 x 4 800 = 2,400
  2 400 x 15 = ?
  profundidad en pies = 36 000 pies

- Sistema Métrico
  profundidad en kilómetros 1/2 x 1.46 x 15
  1/2 x 1.46 = 0.73
  0.73 x 15 = ?
  profundidad en km = 10.95 km

Ejercicios

Usa la siguiente fórmula para calcular la profundidad del océano en cada una de las siguientes preguntas:

profundidad = 1/2 velocidad del sonido x tiempo de eco

1. Se emitieron ondas sonoras desde un sonar a bordo de un barco. Calcula la profundidad del océano donde el tiempo de eco es de 4 segundos.

2. La plataforma continental es una región de gran importancia económica. No sólo suministra la mayoría de los alimentos marinos del mundo, sino que también en muchas áreas contiene valiosos yacimientos petrolíferos. En Estados Unidos las perforaciones de pozos petroleros en el mar cerca de las costas son comunes en las líneas costeras del Océano Pacífico y el Golfo de México. Determina la profundidad del agua en una instalación petrolera en el mar, donde el tiempo de eco es de 0.2 segundos.

Actividad: ¿QUÉ TAN PROFUNDO?

Objetivo Hacer el mapa de la superficie de un fondo marino simulado.

Materiales *tijeras*
regla
cuerda blanca (cordón)
argolla
bolígrafo (pluma) de tinta negra
molde de vidrio para horno, de 2 litros
(2 cuartos de galón) de 7.6 cm (3 pulgadas)
de profundidad
2 ó 3 piedras (deben caber en el molde)
jarra
lápiz
papel rayado
papel cuadriculado
agua

Procedimiento

- Corta un tramo de cuerda de 30 cm (12 pulgadas)
- Amarra una punta de la cuerda a la argolla
- Usando el bolígrafo y la regla, marca una escala con divisiones de 1cm (1/2 pulgada) a lo largo de la cuerda.
- Pon el molde para horno en una mesa y coloca las piedras dentro de él.

113

- Agrega agua al molde hasta llenarlo. Esto representa el océano.
- Coloca la regla a lo largo del molde. La orilla del molde representa la playa.
- Sujeta el extremo libre de la cuerda y colócalo contra la regla y junto a la orilla del molde (ésta es la marca de 0 centímetros) y baja lentamente la cuerda dentro del agua hasta que la argolla toque una piedra o el fondo del molde.
- Usando la escala marcada en la cuerda, determina la profundidad del agua. Redondea la medida a la marca más próxima de la escala.
- Mide la profundidad del agua cada 1.25 cm (1/2 pulgada) a lo largo del molde y registra las mediciones en una gráfica como la que presentamos.

GRÁFICA DE INFORMACIÓN

Distancia a la orilla	Profundidad
0.0 cm (0.0 pulgadas)	7.5 cm (3 pulgadas)
1.25 cm (0.5 pulgadas)	7.5 cm (3 pulgadas)
2.5 cm (1.0 pulgadas)	5. 0 cm (2 pulgadas)

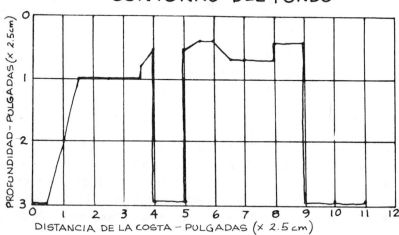

CONTORNO DEL FONDO

PROFUNDIDAD - PULGADAS (x 2.5 cm)

DISTANCIA DE LA COSTA - PULGADAS (x 2.5 cm)

■ Usando tu gráfica de información, haz una gráfica de tus mediciones como la que aparece en la página anterior.

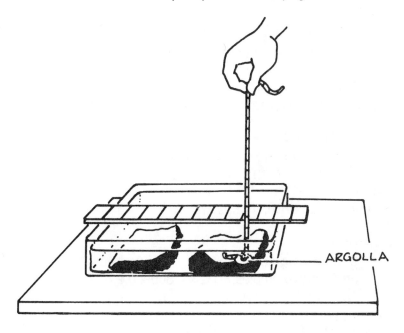

ARGOLLA

Resultados Se produce una gráfica que muestra el perfil irregular del "piso" del molde.

¿Por qué? El procedimiento anterior simula la toma de lecturas del sonar a diferentes distancias a partir de la línea de la costa del océano. El perfil que se obtiene con estas lecturas es irregular porque la profundidad se mide sólo a intervalos y no a lo largo de una línea continua. Entre más mediciones se tomen, se logra una mayor exactitud en el perfil.

Además del sonar se usan otros métodos para estudiar el fondo del océano. Los laboratorios submarinos permiten a los hombres de ciencia estudiar directamente el fondo del océano, pero las fotos que toman los satélites desde el espacio dan el cuadro más exacto. Los diferentes colores de las fotografías indican las distintas profundidades.

Solución a los ejercicios

1. ¡*Piensa*!

- **Sistema Inglés**
  profundidad en pies = 1/2 x 4 800 x 4
  1/2 x 4 800 = 2 400
  2 400 x 4 = ?
  profundidad en pies = 9 600 pies

- **Sistema Métrico**
  profundidad en km = 1/2 x 1.46 x 4
  1/2 x 1.46 = 0.73
  0.73 x 4 = ?
  profundidad en km = 2.92 km

2. ¡*Piensa*!

- **Sistema Inglés**
  profundidad en pies = 1/2 x 4 800 x 0.2
  1/2 x 4 800 = 2 400
  2 400 x 0.2 = ?
  profundidad en pies = 480 pies

- **Sistema Métrico**
  profundidad en km = 1/2 x 1.46 x 0.2
  1/2 x 1.46 = 0.73
  0.73 x 0.2 = ?
  profundidad en km = 0.146 km

12

Mapa de curvas de nivel

Cómo determinar las elevaciones en un mapa topográfico

Lo que necesitas saber

Un **mapa topográfico** indica las características de la superfice de la tierra, tales como montañas, ríos, caminos y ciudades. Las **líneas de curvas de nivel** son círculos irregulares que conectan puntos de igual elevación. La **elevación** es la **altitud** (altura) o profundidad de la tierra, sobre un punto de referencia que generalmente es el nivel del mar. La **equidistancia de las curvas de nivel** (cambio entre las líneas), representa el **grado** (la pendiente). Mientras más cerca estén las líneas, mayor será la pendiente.

En un mapa topográfico se pueden combinar colores, patrones y curvas de nivel para indicar la ubicación, forma y elevación. En el mapa de perfil del monte Águila Calva se presentan patrones que indican intervalos de elevación de 0.61 km (2 000 pies). El mapa de curvas de nivel es una vista a "ojo de pájaro" de la misma montaña. Ambos son mapas topográficos.

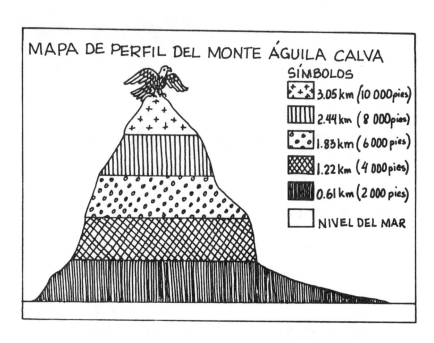

MAPA DE PERFIL DEL MONTE ÁGUILA CALVA

SÍMBOLOS

- 3.05 km (10 000 pies)
- 2.44 km (8 000 pies)
- 1.83 km (6 000 pies)
- 1.22 km (4 000 pies)
- 0.61 km (2 000 pies)
- NIVEL DEL MAR

MAPA DE CURVAS DE NIVEL DEL MONTE ÁGUILA CALVA

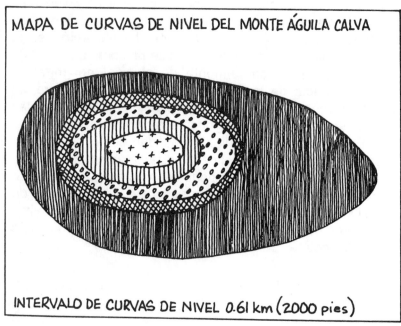

INTERVALO DE CURVAS DE NIVEL 0.61 km (2000 pies)

Pensémoslo bien

El mapa de perfil de la isla Brisa Marina muestra un lado de la base submarina de la isla.

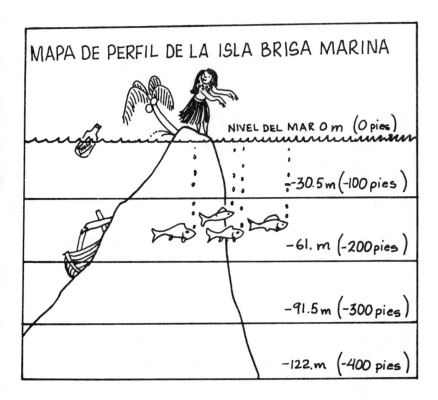

MAPA DE PERFIL DE LA ISLA BRISA MARINA

NIVEL DEL MAR 0 m (0 pies)

-30.5 m (-100 pies)

-61. m (-200 pies)

-91.5 m (-300 pies)

-122.m (-400 pies)

Usa el mapa de curvas de nivel de la Isla Brisa Marina que aparece en la siguiente página para contestar estas preguntas:

1. ¿Todos los lados de la montaña submarina que forman la Isla de Brisa Marina tienen pendientes pronunciadas?

2. ¿En qué lado tiene la pendiente menos pronunciada la montaña submarina?

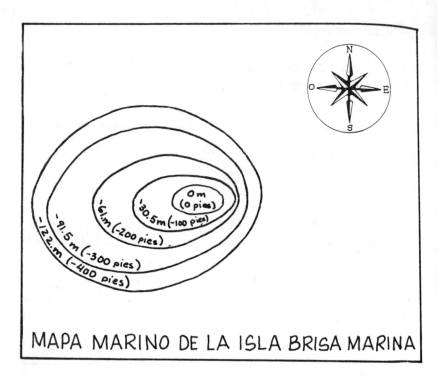

MAPA MARINO DE LA ISLA BRISA MARINA

Respuestas

1. ¡*Piensa*!

- Las curvas de nivel cercanas indican una pendiente pronunciada. ¿Están cercanas todas las curvas de nivel? No. Sólo en un lado del mapa se ven curvas de nivel juntas.

Sólo un lado de la montaña submarina tiene una pendiente pronunciada.

2. ¡*Piensa*!

- Mientras más apartadas estén las curvas, menos pronunciada es la pendiente. ¿En qué lado es mayor la distancia entre las curvas de nivel?

En el lado oeste la pendiente es menos pronunciada.

Ejercicios

La equidistancia de las curvas de nivel de cada una de las tres características topográficas del siguiente mapa ilustrado, es de 30.5 m (100 pies). Úsalo para contestar las siguientes preguntas:

1. ¿Cuál de los dibujos representa una mesa (cerro con cima plana y del cual cuando menos uno de los lados es un acantilado pronunciado)?
2. ¿Cuál de los dibujos representa la estructura más alta?

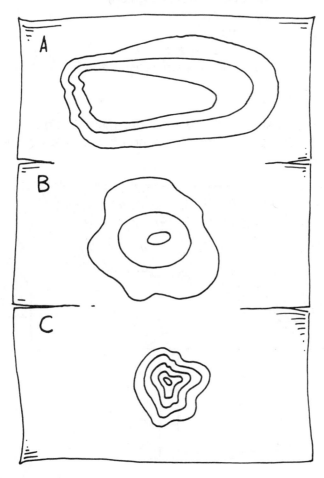

Actividad: DEBAJO DE LA SUPERFICE

Propósito Elaborar un mapa de curvas de nivel de montañas submarinas.

Materiales plastilina
molde para horno, de vidrio de 2 litros (1/2 galón), con profundidad de 7.6 cm (3 pulgadas)
cinta adhesiva (masking tape)
marcador
jarra de 2 litros (1/2 gaión)
agua
cuchara
colorante vegetal azul
fólder de plástico transparente

Procedimiento

- Usa la plastilina para construir dos montañas en el fondo del molde para horno. No deben ser más altas que el molde.

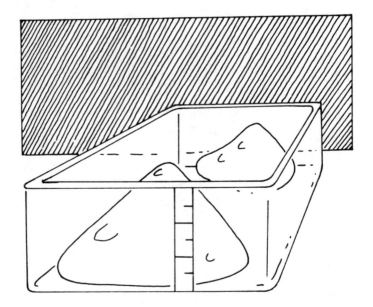

- Pon una tira de cinta adhesiva en un lado del molde.
- Marca una escala con divisiones de 1.3 cm (1/2 pulgada) en la cinta adhesiva, de abajo hacia arriba.
- Llena la jarra con agua y agrégale unas gotas del colorante vegetal hasta que el agua adquiera color azul oscuro.

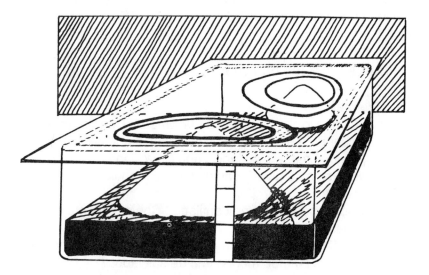

- Extiende el fólder encima del molde.
- Párate de manera que puedas mirar directamente hacia abajo y dentro del molde y traza en el fólder el perfil de la parte superior del molde para que te sirva de guía.
- Quita el fólder y agrega el agua pintada hasta la primera marca de 1.3 cm (1/2 pulgada).
- Vuelve a poner el fólder sobre el molde y traza en él el contorno de la línea de agua que quedó alrededor de la montaña.
- Quita el fólder y agrega más agua pintada hasta la siguiente marca de 1.3 cm (1/2 pulgada).
- Traza nuevamente sobre el fólder, el contorno de la línea del agua que rodea la montaña.
- Continúa este procedimiento hasta que el agua llegue a la última graduación sobre la cinta adhesiva.

Resultados Has trazado un mapa topográfico de las montañas en el molde.

¿Por qué? Cada curva en el fólder es una curva de nivel que conecta puntos de igual profundidad de las montañas de arcilla. La equidistancia de las curvas de nivel, o el cambio de altidud entre éstas es de 1.3 cm (1/2 pulgada).

Soluciones a los ejercicios

1. ¡Piensa!
- ¿Qué es lo que caracteriza a una mesa? Una cima plana y cuando menos uno de sus lados en acantilado.
- ¿De qué manera se indica una cima plana en un mapa de curvas de nivel? Con un círculo irregular grande en el centro.
- ¿Cómo se indica un acantilado? Con curvas muy cercanas unas de otras.
- ¿Cuál mapa describe mejor una cima plana con acantilado en cuando menos uno de sus lados?

El mapa A representa una mesa.

2. ¡Piensa!
- ¿Cómo se indica la diferencia en elevación en un mapa de curvas de nivel? Por la cantidad de círculos irregulares.
- ¿Cuál mapa tiene más curvas de nivel y representa por consiguiente la característica topográfica más alta?

La figura del mapa C es la más alta.

13

Localización de huracanes

Localización de la ruta de un huracán para predecir dónde tocará tierra

---

Lo que necesitas saber

Un **huracán** es un **ciclón** tropical (viento fuerte que sopla en círculo) con vientos de 118 kph (74 millas por hora) o más. Es una de las tormentas más pavorosas de la tierra y es la única que recibe nombre de persona. Su formación puede tardar aproximadamente una semana y comienza en los trópicos con muchas tormentas eléctricas. Cuando los vientos empiezan a hacer girar las nubes en círculo a una velocidad de menos

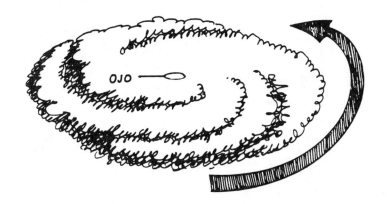

OJO

de 62 kmph (39 millas por hora), la tormenta se llama **depresión tropical.** Cuando los vientos llegan a una velocidad de 62 kmph (39 millas por hora) se llama **tormenta tropical** y se le da nombre oficial. Cuando los vientos alcanzan una velocidad de 118 kmph (74 millas por hora), se clasifica como huracán. En promedio se forman 100 tormentas tropicales cada año en todo el mundo, de las que dos terceras partes crecen y se convierten en ciclones tropicales.

Cuando se ha formado totalmente, el huracán tiene una amplitud de 320 a 480 km (200 a 300 millas). En el centro del viento que gira está un área de calma de cielo despejado, que se llama **ojo del huracán.**

En promedio, los ciclones tropicales del Hemisferio Boreal se mueven de este a oeste y después toman rumbo noreste.

MAPA DE ORÍGENES

Este punto del cambio de dirección da a los **meteorólogos** (hombres de ciencia que estudian los patrones del clima) indicios sobre el lugar donde la tormenta tocará tierra, si es que lo hace. Estas predicciones han ayudado a reducir el número de pérdidas de vidas humanas por huracanes en los Estados Unidos, pero el costo de los daños materiales que causan se ha elevado debido al aumento de la población en las áreas costeras.

Los huracanes se llaman también tifones y ciclones, según el lugar donde se originen. Los tifones se originan en el Pacífico, los ciclones en el Océano Índico y los huracanes en el Océano Atlántico. En promedio, más de la mitad de los ciclones tropicales que se forman cada año corresponde a los que se forman en el Océano Pacífico, un 12 por ciento en el Océano Atlántico y 24 por ciento en el Océano Índico.

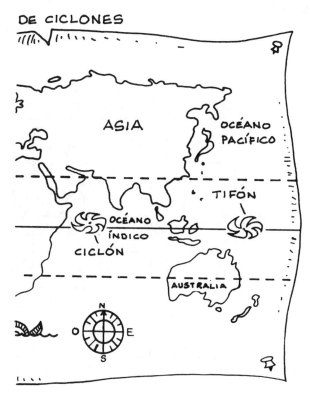

DE CICLONES

ASIA
OCÉANO PACÍFICO
TIFÓN
OCÉANO ÍNDICO
CICLÓN
AUSTRALIA
N
O   E
S

Pensémoslo bien

Usa el Mapa 1 de Localización de Huracanes para contestar las siguientes preguntas:

1. ¿Cuáles son las coordenadas (en latitud y longitud) de la tormenta en cada una de las fechas que aparecen en el mapa?
2. Usa la porción de mapa que aparece en esta página para predecir cuál es la ciudad que se encuentra en la ruta probable de la tormenta el 12 de agosto.

Respuestas

1. ¡Piensa!

- ¿Qué grados de latitud y longitud se entrecruzan en los cinco puntos?

Fecha	Posición
9 de agosto	24°N,83°O
10 de agosto	25°N,85°O

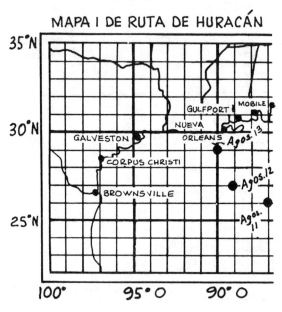

MAPA I DE RUTA DE HURACÁN

11 de agosto	26°N,87°O
12 de agosto	27°N,89°O
13 de agosto	29°N,90°O

2. ¡*Piensa*!

- Si se traza una línea recta entre los puntos del plano para los días 11 y 12 de agosto (asegúrate de no incluir el 13 de agosto), y se extiende hacia adelante, ¿qué ciudad costera se encontrará en la línea o cerca de ella?

Galveston, Texas, se encuentra en la probable ruta de la tormenta.

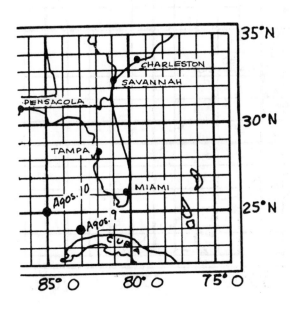

Ejercicios

1. Tiende una hoja de papel copia sobre la sección del Mapa 2 de Localización de Huracanes que aparece en la siguiente página y traza en el mapa la localización del Huracán Kate en cada fecha.

Fecha	Posición	Velocidad del viento
2 de septiembre	23°N,62°O	80 kmph (50 millas por hora)
3 de septiembre	24°N,64°O	104 kmph (65 millas por hora)

MAPA 2 DE RUTA DE HURACÁN

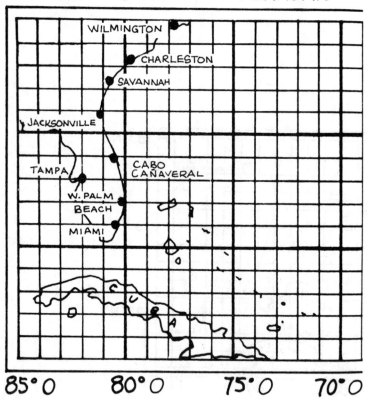

| 4 de septiembre | 25°N,66°W | 122 kmph (76 millas por hora) |
| 5 de septiembre | 26°N,68°W | 144 kmph (90 millas por hora) |

2. Coloca el mapa que calcaste junto al mapa de la página 130, de manera que las orillas de ambos queden en línea. ¿Qué ciudad está más cerca de la ruta probable de la tormenta el 5 de septiembre?

3. ¿ En qué fecha se convirtió "Kate" en Huracán?

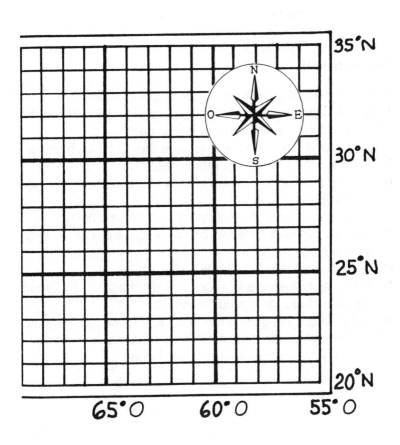

Actividad: EL OJO DEL HURACÁN

Propósito   Demostrar la calma en el ojo de un huracán

Materiales   *tijeras*
regla
30 cm (12 pulgadas) de hilo para coser
clip
ronadana con la misma circunferencia de la boca de las botellas
2 botellas de 2 litros
cinta para sellar tuberías
agua
cuchara
ayudante

Procedimiento

- Corta un trozo de hilo de 30 cm (12 pulgadas)
- Amarra el hilo al extremo del clip para papel. Guarda el hilo y el clip hasta que llegues al último paso.
- Pon la rondana plana sobre la boca de una de las botellas.
- Corta el fondo de la segunda botella.
- Pon de cabeza la segunda botella sobre la parte superior de la primera.
- Pega las botellas con cinta para que no se muevan.
- Pon las botellas paradas en un fregadero, con el lado abierto hacia arriba.
- Llena con agua la botella de arriba.
- Pide a tu ayudante que agite unas cuantas veces el agua con la cuchara, en dirección circular.
- Mientras el agua gira en remolino, suspende rápidamente el clip en el centro del remolino de agua, haciendo todo lo posible para que el clip no toque el agua.

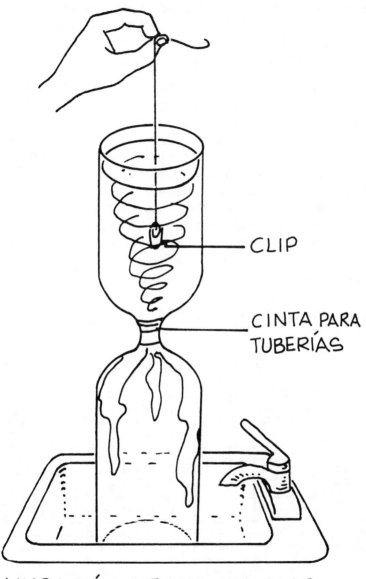

CLIP

CINTA PARA
TUBERÍAS

HURACÁN HECHO EN CASA

Resultados Se demuestra la calma en el ojo del huracán. Mientras permanezca suspendido en el embudo de aire formado por el agua que gira en remolino, el clip no es afectado por el movimiento del agua. Si toca el agua, el clip gira con ella.

¿Por qué? El embudo de aire que se encuentra en el centro del agua que gira en remolino, al igual que el agujero en forma de embudo que se encuentra en el centro del agua que corre hacia un drenaje, simula el ojo de un huracán. El ojo del huracán se encuentra aproximadamente a 32 kmph (20 millas) en el centro de la tormenta, y en él no hay nubes o muy pocas. Es un largo tubo de calma en todo el camino hasta la superficie de la tierra, con vientos que giran hacia la izquierda (dirección contraria a la de las agujas de un reloj) a su alrededor. Al igual que el aire en el ojo del un huracán, el aire que está en el centro del agua que gira en remolino dentro de la botella está en calma, como lo indica la ausencia de movimiento del clip.

Soluciones a los ejercicios

1.

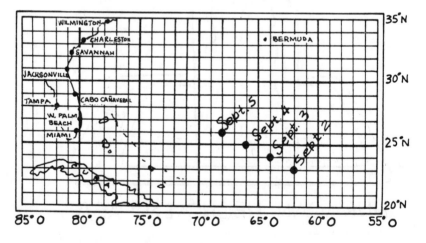

MAPA 2 DE RUTA DE HURACÁN

2. ¡Piensa!

- Si se traza una línea recta entre los puntos del mapa y se extiende hacia adelante, ¿qué ciudad costera quedará sobre la línea o cerca de ella?

Savannah es la que está más cerca de la ruta probable de la tormenta.

3. ¡Piensa!

- ¿A qué velocidad se convierte en huracán una tormenta tropical?

A 118 kmph (74 millas por hora).

- ¿Cuándo alcanzó la tormenta la velocidad de huracán?

Kate se convirtió en huracán el 4 de septiembre.

14

Las estaciones

Cómo afecta el sol a las estaciones

Lo que necesitas saber

La tierra está en movimiento constante. Una de las diferentes maneras en que se mueve es la rotación, lo que significa que

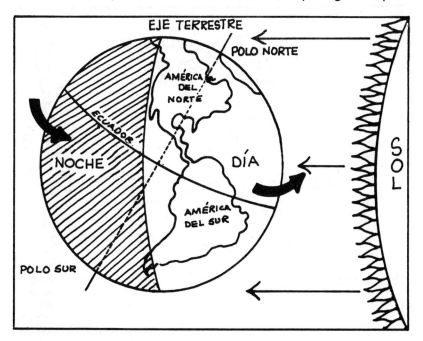

gira como un trompo sobre un eje imaginario que la atraviesa del Polo Norte al Polo Sur. La tierra da una vuelta completa cada 24 horas y ello causa el día y la noche. La mitad que queda frente al sol recibe luz, pero el lado opuesto está en la oscuridad.

Otra manera como la tierra (y todo cuerpo celeste) se mueve es la translación, lo que significa que se mueve alrededor de otro objeto. La tierra da una vuelta cada 365 días, o sea una vez al año, alrededor del sol. Como el eje de la tierra está inclinado, los rayos directos del sol llegan a las diferentes partes de la tierra en fechas diferentes del año. Cuando el **Hemisferio Boreal** (región al norte del ecuador) se inclina hacia el sol, la región del **Hemisferio Austral** (región al sur del ecuador) se inclina alejándose del sol.

Cuando la tierra inclinada gira alrededor del sol, los rayos directos de éste llegan a diferentes partes y provocan el cambio de estaciones (primavera, verano, otoño e invierno).

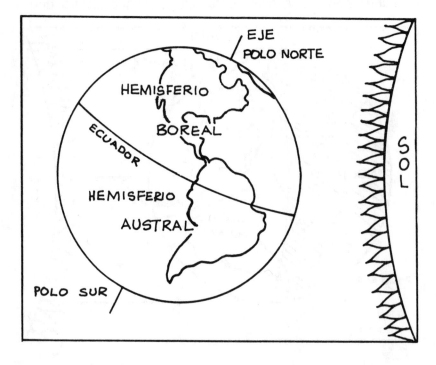

JUNIO 22

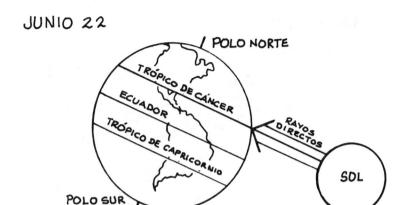

El 22 de junio, primer día de verano en el Hemisferio Boreal, el **Trópico de Cáncer** (latitud 23.1/2 grados norte) es el punto más hacia el norte del ecuador que recibe los rayos solares directos. El punto donde el sol se encuentra más hacia el norte del ecuador se llama **solsticio de verano**.

El 22 de diciembre, primer día de invierno en el Hemisferio Boreal, los rayos solares apuntan directamente al **Trópico de Capricornio** (latitud 23.1/2 grados al sur). En ese día el sol se encuentra en la posición de **solsticio de invierno**.

DICIEMBRE 22

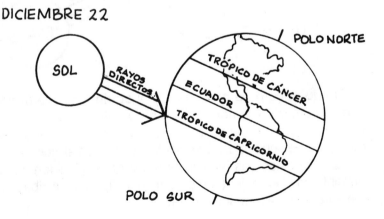

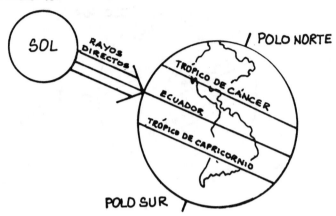

SEPTIEMBRE 23

El **equinoccio de primavera** y el **equinoccio de otoño** son los puntos por donde pasa el sol durante su ruta aparente el primer día de la primavera (21 de marzo) y el primer día de otoño (23 de septiembre), respectivamente, en el Hemisferio Boreal. En estas dos fechas los rayos del sol inciden directamente en el ecuador (como se ve en la figura de arriba) y el día y la noche tienen igual duración.

Pensémoslo bien

Usa el siguiente diagrama para contestar las preguntas:

1. En la posición C, ¿en cuál de los Hemisferios, el Boreal o el Austral, es invierno?

2. En el Hemisferio Austral, ¿en cuál de las posiciones es invierno?

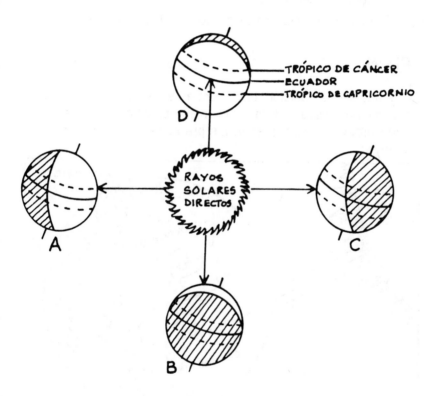

Respuestas

1. ¡Piensa!

- Es invierno en el hemisferio que queda más lejos de los rayos directos del sol. ¿Cuál hemisferio está más lejos de los rayos del sol en la posición C?

El Hemisferio Boreal se encuentra en invierno.

2. ¡Piensa!

- ¿En cuál de las posiciones se encuentra el Hemisferio Austral lejos del sol?

Es invierno en el Hemisferio Austral de la posición A.

Ejercicios

Con base en la posición de la tierra en el siguiente diagrama, selecciona la escena de la estación apropiada que se muestra a la derecha, para contestar las preguntas de la página siguiente:

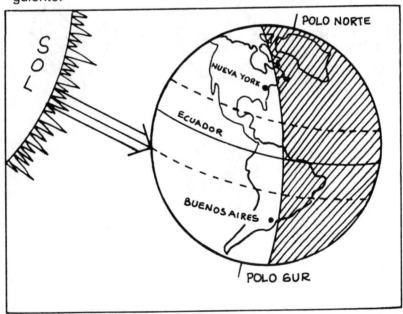

1. ¿Cuál escena representa mejor la estación en Nueva York?

2. ¿Cuál escena representa mejor la estación en Buenos Aires?

Actividad: PUNTOS DEL SOL

Objetivo Determinar por qué hace más frío en la tierra en invierno.

Materiales *linterna de mano*
hoja de papel de color oscuro
gis
ayudante

Procedimiento

- En un cuarto oscuro, coloca la linterna a unos 15 cm (6 pulgadas) directamente sobre el papel.
- Pide a tu ayudante que pinte una línea con gis alrededor del área alumbrada del papel.

RAYOS DE VERANO

- Pon a esta línea la leyenda "rayos del sol".
- Mantén la linterna a la misma distancia del papel, pero inclínala ligeramente.
- Pide otra vez a tu ayudante que pinte una línea alrededor del área alumbrada.
- Pon a esta línea la leyenda "rayos de invierno".

RAYOS DE INVIERNO

RAYOS DE VERANO

Resultados Se produce un pequeño círculo de luz cuando se sostiene la linterna directamente arriba del papel. Inclinando la linterna se produce un área alumbrada más grande y menos brillante sobre el papel.

¿Por qué? El sol, representado por la linterna, produce más luz y por consiguiente más calor cuando apunta directamente hacia la tierra, como en el verano. La luz solar del invierno viene en ángulo, como se ve con la linterna inclinada. Esta luz viaja por una cantidad mayor de atmósfera y cubre un área más grande de la tierra que los rayos directos del verano. Como se calienta una mayor cantidad de atmósfera antes de llegar a la superficie de la tierra y como la luz del sol abarca una superficie mayor el área a donde llegan los rayos oblicuos no recibe tanto calor como cuando le llegan los rayos del sol en forma directa.

En verano nuestra región de la tierra (el Hemisferio Boreal) se inclina hacia el sol. Debido a esta inclinación, la región recibe los rayos del sol en forma más directa, y por consiguiente le llega más calor y más luz. Durante el invierno, nuestra región se aleja del sol y en consecuencia recibe menos rayos directos.

Soluciones a los ejercicios

1. ¡Piensa!
- Nueva York se encuentra en el Hemisferio Boreal, que está alejado de los rayos del sol.
- Por consiguiente, es invierno en Nueva York.

La escena D representa mejor la estación en Nueva York.

2. ¡Piensa!
- Buenos Aires se encuentra en el Hemisferio Austral, que está inclinado hacia los rayos del sol.

La escena B representa mejor la estación en Buenos Aires.

15

Husos horarios

Comparar las diferencias de horario para un viajero que va hacia el este o el oeste

Lo que necesitas saber

Desde los primeros tiempos, las personas han utilizado el movimiento de los cuerpos celestes como puntos de referencia

para medir el tiempo. Con este objeto se ha empleado el movimiento aparente del sol, los cambios en la forma de la luna y la posición de las estrellas.

El sol es el más fácil de seguir, debido a que la rotación de la tierra durante el día hace que parezca que el sol se mueve por el cielo. Por tanto, es posible utilizar instrumentos como el reloj de sol para determinar la posición del sol e indicar la hora.

Durante miles de años, se ha considerado que es medio día cuando el sol llega a su posición más alta en el cielo. Debido a que la tierra es una esfera en rotación, el sol no puede aparecer directamente sobre Londres y Nueva York al mismo tiempo. El medio día ocurre primero en la ciudad de Londres, que está al este, ya que la tierra gira hacia ese punto.

A medida que las personas comenzaron a alejarse de sus lugares de origen, observaron que la "hora local" varía de una ciudad a otra. A fines del siglo XIX había más de 50 diferentes horas locales en todo Estados Unidos. Como la tierra tarda 24

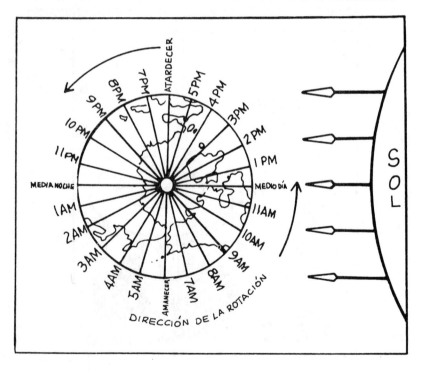

horas en dar un giro completo sobre su propio eje, el canadiense Stanford Fleming sugirió dividirla en 24 husos horarios. En 1884 un grupo de naciones estableció zonas de hora estándar para toda la tierra. Cada zona tiene alrededor de 15º de longitud, pero en algunos lugares se han hecho ajustes a fin de que no haya que dividir en dos zonas una ciudad o pueblo pequeño. Al este de cada huso horario los relojes se ponen una hora más tarde; al oeste se ponen una hora más temprano.

Si pudieras detener el tiempo y ver lo que la gente hace en todas partes del mundo, encontrarías personas comiendo el lunes en Nueva York mientras otras se preparan para cenar en Londres. Si continuaras rumbo al oriente alrededor del planeta, encontrarías familias durmiendo en Tokio, Japón, en las primeras horas de la madrugada del martes. En Velen, Siberia, a las 6 de la mañana del martes las familias se sientan a desayunar. A unas cuantas millas de distancia, en Nome, Alaska, las familias también se sientan a desayunar, pero allí es la mañana del lunes. Es la misma hora en ambas localidades, pero como las dos ciudades se encuentran en lados opuestos

LÍNEA INTERNACIONAL DE CAMBIO DE FECHA

6:00 AM DEL MARTES | 6:00 AM DEL LUNES

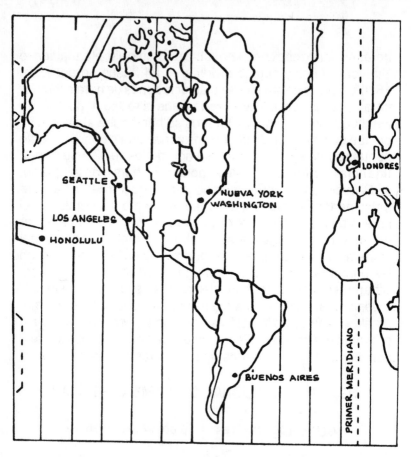

HUSOS HORARIOS

de la **línea internacional de cambio de fecha** (línea imaginaria situada en la longitud 180°) siempre es un día más tarde al poniente de esta línea.

Pensémoslo bien

Con el mapa anterior responde las siguientes preguntas:
1. ¿Qué hora es en la ciudad de Nueva York cuando en Londres es el medio día?
2. Son las 7:00 A.M. en Sidney y Brisbane. ¿Qué día es en Brisbane si en Sidney es miércoles?

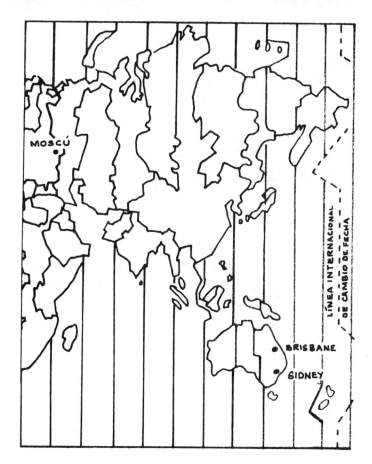

EN TODA LA TIERRA

Respuestas

1. ¡Piensa!
- Localiza en el mapa las ciudades de Londres y Nueva York.
- ¿Cuántos husos horarios hay entre estas dos ciudades? Seis.
- ¿Está Nueva York al oeste o al este de Londres? Nueva York está al oeste de Londres, por consiguiente, en Nueva York es más temprano.

  Son las 7 A.M. en Nueva York

2. ¡Piensa!

- Localiza Brisbane y Sidney en el mapa. ¿Cuántos husos horarios hay entre estas dos ciudades? Están en la misma zona.
- ¿Están estas dos ciudades separadas por la línea internacional de cambio de fecha? No.

En ambas ciudades es miércoles.

Ejercicios

Usa el mapa de husos horarios de Estados Unidos para determinar qué hora es en las siguientes ciudades cuando en Houston son las 3:00 P.M.

1. San Francisco.

2. Atlanta.

ZONAS HORARIAS DE ESTADOS UNIDOS

Actividad: LA HORA

Objetivo Estudiar la relación entre el movimiento aparente del sol y la hora.

Materiales *tijeras*
regla
papel encerado
balón de basquetbol
marcador
cinta adhesiva transparente
popote
plastilina
linterna de mano

Procedimiento

- Corta una tira de papel de 10 cm (4 pulgadas) de ancho, lo suficientemente larga para envolver el balón de basquetbol.
- Dobla la tira en 3 secciones iguales.
- Dóblala a la mitad para formar 6 secciones iguales.
- Dóblala a la mitad dos veces más para formar 24 secciones iguales.

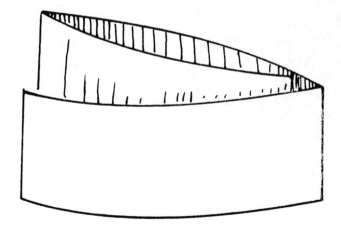

- Desdobla la cinta y pinta una línea sobre cada doblez.
- Envuelve el balón de basquetbol y pega los extremos con un pedazo de cinta.
- Corta tres pedazos de popote de 5 cm (2 pulgadas).
- Usa tres pedacitos de plastilina para pegar los tres pedazos de popote sobre tres secciones consecutivas de la tira como se indica en la figura de abajo.
- Enciende la linterna y ponla sobre la orilla de una mesa.
- Apaga la luz del cuarto.
- Párate de manera que la linterna quede a tu derecha y sujeta el balón a unos 15 cm (6 pulgadas) de la linterna con el primer pedazo de popote apuntando directamente hacia ti.
- Observa las sombras de los popotes sobre el papel.
- Continúa observando las sombras mientras haces girar lentamente el balón hacia la derecha. Detente cuando el primer pedazo de popote apunte directamente hacia la luz.

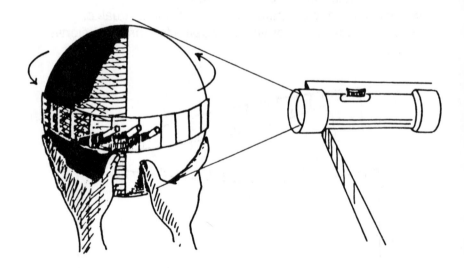

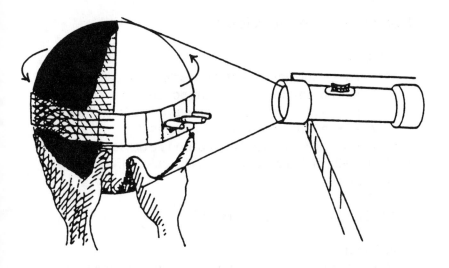

Resultados Los popotes proyectan sombras. Los que están más cerca de la luz proyectan sombras más cortas.

¿Por qué? Conforme los popotes se acercan a la luz, sus sombras se acortan hasta que el popote que apunta directamente a la luz deja de proyectar sombra. Esta es una simulación de la rotación de la tierra sobre su eje. Cada una de las 24 secciones del papel representa un huso horario. La diferencia entre las sombras indica una diferencia en la distancia entre esos puntos y el sol de medio día, que es cuando los rayos del sol inciden directamente en un lugar. Por tanto, indican una diferencia en el horario.

Soluciones a los ejercicios

1. ¡*Piensa*!
- Localiza Houston y San Francisco en el mapa. ¿Cuántos husos horarios hay entre estas dos ciudades? Dos. Una separación de dos zonas horarias indica una diferencia de dos horas entre las dos ciudades.
- ¿Está San Francisco al este o al oeste de Houston? Está al oeste de Houston. Por consiguiente, allí es más temprano.

En San Francisco es la 1:00 P:M.

2. ¡*Piensa*!
- Localiza Houston y Atlanta en el mapa. ¿Cuántas zonas horarias hay entre estas dos ciudades? Una. Una separación de una zona horaria indica una diferencia de una hora entre las dos ciudades.
- ¿Está Atlanta al oeste o al este de Houston? Atlanta está al este de Houston.

La hora en Atlanta es: 4:00 P.M.

16

Circulación atmosférica

Cómo afecta al clima la circulación atmosférica de la Tierra

Lo que necesitas saber

La atmósfera es un colchón de **aire** (mezcla de gases) que rodea la tierra. Como el sol calienta la superficie de la tierra en una forma desigual (más información en el tema 14), el **clima** (que es el conjunto de las condiciones atmosféricas que prevalecen en una región), es cálido todo el año en el ecuador, frío todo el año en las regiones polares, y más benigno entre esas dos regiones. De igual manera, la temperatura de la atmósfera que rodea la tierra es más caliente en el ecuador y más fría en los polos. Una regla científica básica respecto al aire indica que el aire caliente sube y el aire frío baja. El aire caliente del ecuador sube cuando llega a una gran altitud se enfría y vuelve a bajar a la tierra. Cuando el aire caliente sube, el aire frío toma su lugar. El movimiento del aire se llama **viento**. Los vientos son un factor muy importante del clima. En el Hemisferio Boreal los vientos vienen del sur y llevan al norte el calor de México y del Caribe, mientras los vientos que vienen del norte traen al sur los fuertes fríos de la región ártica. Los vientos transportan la temperatura de un lugar a otro haciendo que el clima en dicho lugar sea más cálido o más frío de lo que sería si no existiera ese fenómeno.

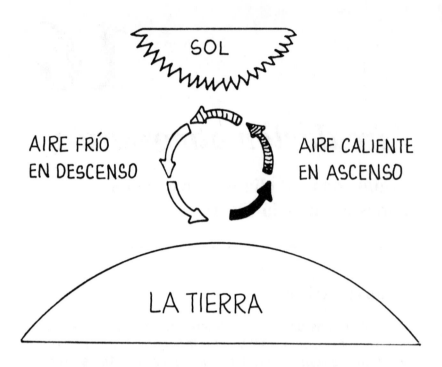

El movimiento del aire alrededor de la tierra crea un equilibrio global de energía. Sin el movimiento del aire, la región ecuatorial se calentaría cada vez más y las regiones polares se volverían cada vez más frías. Los organismos que habitan la tierra no podrían vivir en esas temperaturas tan extremosas. Los climas de toda la tierra no varían mucho de un año a otro porque el aire caliente del ecuador sigue fluyendo hacia los polos, mientras el aire frío de los polos se mueve hacia el ecuador.

Los patrones de viento entre el ecuador y las regiones polares serían sólo en dirección norte o sur si no fuese por la rotación de la tierra, que es la que hace que los vientos cambien de dirección produciendo lo que se llama **Efecto de Coriolis.** Los vientos de la superficie se desvían hacia la derecha en el Hemisferio Boreal y hacia la izquierda en el Hemisferio Austral. Imagínate a ti mismo parado a 30°N en el diagrama del patrón de los vientos que aparece abajo. Si miras hacia el Polo Norte tu mano derecha señalará hacia el este, que es hacia donde se desvían los vientos que soplan hacia el norte desde la latitud de 30°N. Si das la vuelta y miras hacia el ecuador, tu mano derecha señalará hacia el oeste, que es el punto hacia donde se desvían los vientos que soplan hacia el sur desde la latitud de 30°N. Puedes usar este mismo ejercicio mental para entender las desviaciones hacia el este y el oeste de los demás patrones de vientos que aparecen en el diagrama.

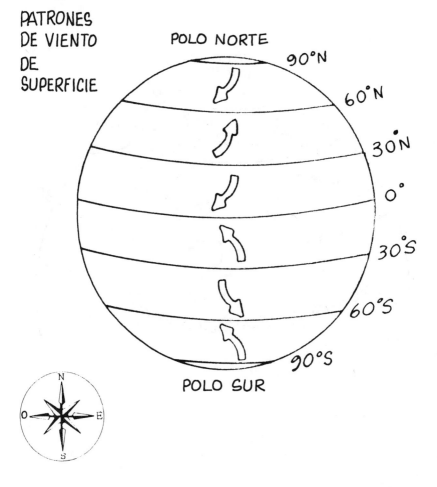

PATRONES DE VIENTO DE SUPERFICIE

POLO NORTE
90°N
60°N
30°N
0°
30°S
60°S
90°S

POLO SUR

Pensémoslo bien

Debido a que cerca del ecuador hay poco viento superficial cuando sube el aire caliente, esta área recibe el nombre de **zonas de calma ecuatorial**. Los primeros navegantes temían atravesar estas zonas pues podían quedar varados en ellas durante mucho tiempo.

Traza el diagrama del Hemisferio Boreal e indica mediante flechas los vientos cíclicos entre las zonas de calma ecuatorial y la latitud 30°N.

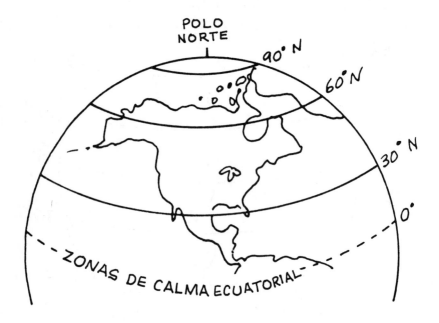

Respuesta

¡Piensa!

El aire caliente se eleva en las zonas de calma ecuatorial y viaja hacia el Polo Norte, se enfría y baja hacia la tierra en la latitud 30°N. Por consiguiente:

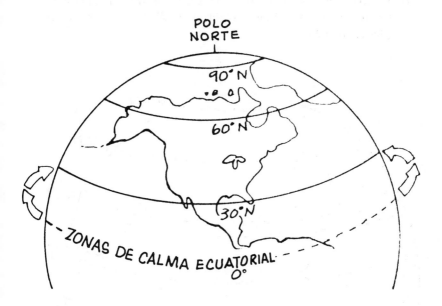

Ejercicios

El aire que se levanta de las zonas de calma ecuatorial, generalmente baja a la tierra en las latitudes 30°N y 30°S. En esta área casi nunca hay vientos superficiales permanentes. Cuando los barcos navegaban hacia el Nuevo Mundo y se varaban aquí, no era posible mantener a los caballos a bordo y los tiraban por la borda para ahorrar agua y alimentos. Estas latitudes se llegaron a conocer como "latitudes de los caballos" o zonas de calma tropical.

1. Traza el diagrama del globo y marca las siguientes partes:

   - Zonas de calma ecuatorial
   - Zonas de calma tropical
   - Polo Norte
   - Polo Sur

2. En tu diagrama del globo marca con flechas el flujo cíclico de aire entre las zonas de calma ecuatorial y las zonas de calma tropical.

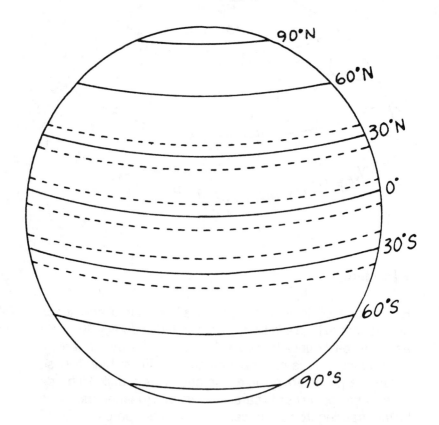

Actividad: CORRIENTES DE CONVECCIÓN

Objetivo Simular el movimiento de las corrientes de aire debidas a la convección (movimiento del calor a través de los gases y líquidos).

Materiales *4 ó 5 cubitos de hielo*
2 frascos de boca ancha de 1 litro (1/4 de galón)
agua fría
frasco de comida para bebé
agua caliente
cuchara
colorante vegetal verde
10 cm cuadrados (4 pulg cuadradas) de papel aluminio
liga de hule
lápiz
cronómetro

Procedimiento

- Mete los cubitos de hielo en uno de los frascos de 1 litro (1/4 de galón). Llena el frasco con agua fría.
- Llena el frasco de comida para bebé con agua caliente hasta que rebose. Agrega agitando 10 gotas del colorante vegetal.
- Tapa la boca del frasco de alimentos para bebé con el papel aluminio y asegura éste con la liga.
- Coloca el frasco de alimento para bebé dentro del segundo frasco de 1 litro.
- Saca del primer frasco los cubitos de hielo que no se derritieron y vacía el agua helada en el segundo frasco hasta las tres cuartas partes de su capacidad.

■ Con la punta del lápiz haz un pequeño agujero muy cerca del centro del papel aluminio.

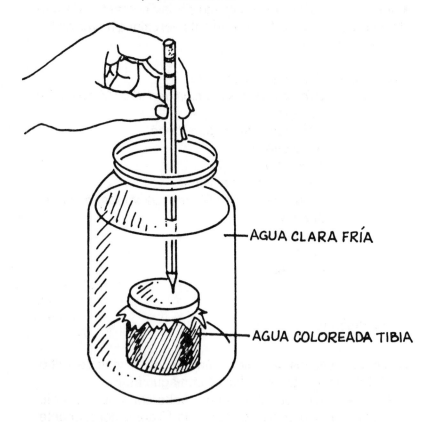

■ Observa desde un lado y durante unos cinco segundos el contenido de la jarra.
■ Haz un segundo agujero en el papel aluminio.
■ Observa otra vez el contenido.
■ Continúa observando el contenido cada cinco minutos, durante 20 minutos.

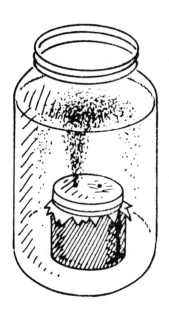

Resultados No pasa nada cuando hay un solo agujero en el papel aluminio, pero cuando los agujeros son dos se levanta una corriente de agua verde que se mueve a lo largo de la superficie del agua fría. Después de algún tiempo las corrientes de agua verde empiezan a bajar.

¿Por qué? Las moléculas de agua, como las de aire y las de cualquier otra forma de materia, se encuentran más juntas cuando están frías y más separadas cuando están calientes, por lo que el agua clara y fría pesa más que el agua caliente sin color, porque sus moléculas están más unidas. Cuando sólo hay un agujero en el papel aluminio se evita que suba el agua caliente que es más liviana, debido a la presión del agua fría, que es más pesada y se encuentra encima de ella. El agua fría no puede entrar por el agujero del papel aluminio, porque el frasco de alimento para bebé está lleno de agua. Al hacer un segundo agujero se permite que el agua fría baje y entre en el frasco, quitando de su camino el agua caliente, que sube hasta el tope. El movimiento de subida y bajada de los

165

líquidos y gases debido a las diferencias de temperatura se llama **corrientes de convección**. Las corrientes de aire se mueven alrededor de la tierra cuando el aire caliente cercano al ecuador se eleva y fluye hacia los polos. El aire polar frío baja y fluye hacia el ecuador.

Solución a los ejercicios

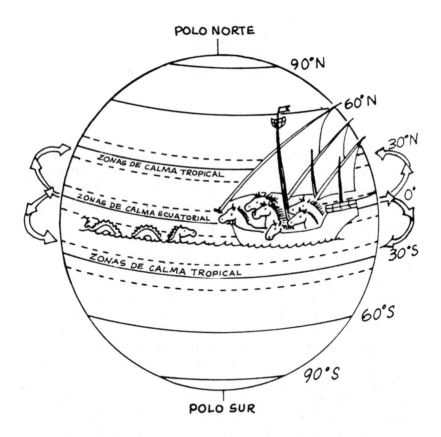

17

Las aguas y el clima

El efecto del agua en el clima

Lo que necesitas saber

La distancia entre un área de tierra y el agua afecta al clima. Por lo general el interior de un continente es más cálido en el verano y más frío en el invierno que sus costas, porque la tierra se enfría y se calienta con mayor rapidez que el agua. Como la temperatura del agua cambia más despacio, la tierra que está cerca de ella tiene un clima más moderado. Las aguas de los lagos, corrientes y océanos no sólo afectan la temperatura, sino que son además una fuente de humedad para la **precipitación** (lluvia, nieve, granizo y aguanieve).

Las **corrientes marinas** son grandes corrientes de agua del océano que fluyen en una misma dirección. Debido al efecto de los vientos, a la rotación de la tierra y a la posición de los continentes, generalmente las corrientes fluyen de izquierda a derecha (dirección de las manecillas del reloj) en el Hemisferio Boreal, y de derecha a izquierda (dirección contraria a la de las manecillas del reloj) en el Hemisferio Austral. Las corrientes marinas transportan grandes cantidades de agua de un lugar a otro. La diferencia en la temperatura de las corrientes provoca que las aguas ecuatoriales cálidas viajen hacia los polos y que las aguas polares frías se trasladen hacia el ecuador.

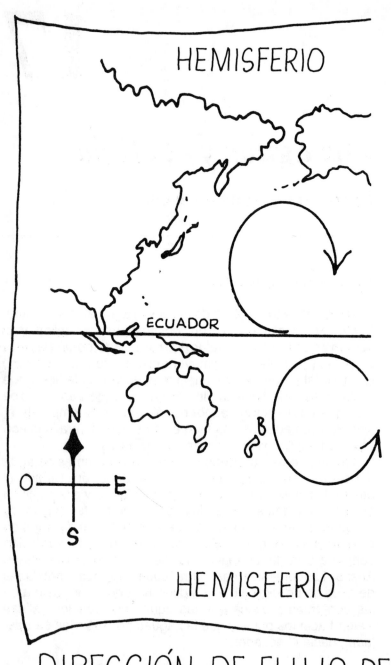

HEMISFERIO

ECUADOR

HEMISFERIO

DIRECCIÓN DE FLUJO DE

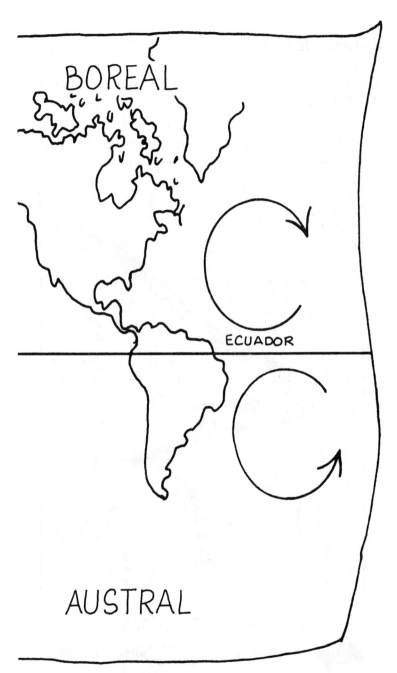

BOREAL

ECUADOR

AUSTRAL

LAS CORRIENTES DE AGUA

Pensémoslo bien

Usa el mapa de Corrientes Marinas 1 para contestar las siguientes preguntas:

1. ¿La corriente de Brasil es cálida o fría?
2. ¿Cuál costa tendrá un clima más benigno, la costa oeste de Noruega o la costa este de Groenlandia?

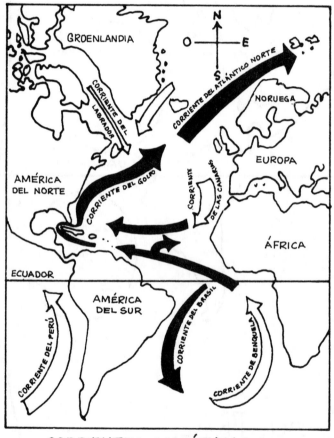

CORRIENTES MARÍTIMAS I

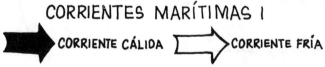

CORRIENTE CÁLIDA   CORRIENTE FRÍA

Respuestas

1. ¡Piensa!

- ¿Es blanca o negra la línea que indica la Corriente de Brasil?

Es negra.

- Mira el cuadro de símbolos del mapa. ¿Qué tipo de corriente indica una línea negra? Una corriente cálida.

La corriente de Brasil es cálida.

2. ¡Piensa!

- Las líneas costeras con corrientes marinas cálidas tienen climas tibios y templados. ¿Cuál de las áreas tiene una corriente marina caliente que fluye a lo largo de su costa? Noruega.

La costa oeste de Noruega tiene un clima más benigno que la costa este de Groenlandia.

Nota: *A pesar de que se encuentra muy al norte, Noruega tiene inviernos relativamente cálidos debido a la influencia de la Corriente del Golfo que se origina cerca del ecuador y se convierte en la Corriente del Atlántico del Norte.*

Ejercicios

1. Generalmente las corrientes cálidas se mueven hacia el norte o al sur alejándose del ecuador, mientras que las corrientes frías generalmente se mueven hacia el ecuador. Usa esta información para complementar el cuadro de símbolos que indica las corrientes frías y las calientes, en el mapa de Corrientes Marinas 2.

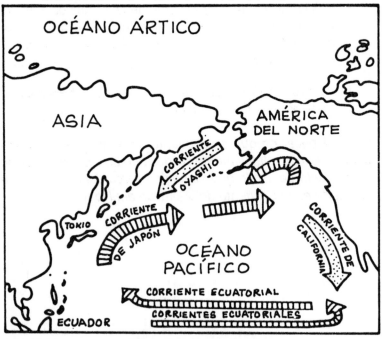

CORRIENTES MARÍTIMAS 2

2. El Reino Unido y la península del Labrador se encuentran en la misma latitud. Usa el mapa de las corrientes de esta área para determinar cuál de estas áreas terrestres tiene el clima más benigno.

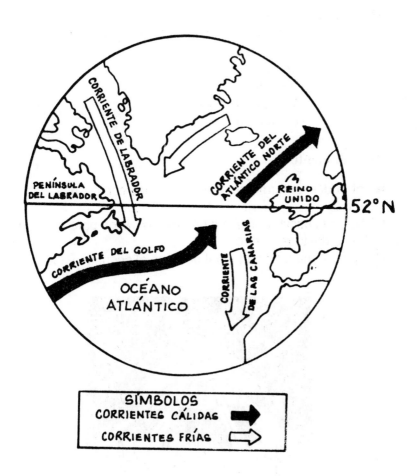

Actividad: BRISAS DE TIERRA Y DE MAR

Objetivo   Determinar las causas de las brisas de tierra y de mar.

Materiales   *2 termómetros*
2 vasos de tamaño suficiente para contener los termómetros
tierra
agua fría
lámpara de escritorio
cronómetro

Procedimiento

- Introduce un termómetro en cada vaso con el bulbo hacia abajo.
- Agrega suficiente tierra a uno de los vasos para cubrir el bulbo del termómetro.
- Agrega una cantidad igual de agua al segundo vaso.

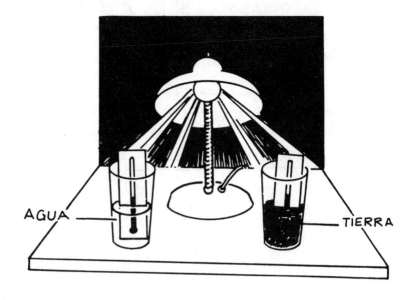

- Pon juntos los dos vasos en una mesa lejos de la luz directa del sol.
- Después de cinco minutos lee y anota la temperatura de cada termómetro.
- Pon la lámpara en una posición en que la luz dé por igual a los dos vasos.
- Lee, después de dos horas, la temperatura que marque cada termómetro y anótala.
- Apaga la lámpara.
- Espera dos horas más, vuelve a leer la temperatura que marca cada termómetro y anótala.

Resultados La temperatura de la tierra sube más rápido que la del agua. La tierra también se enfría antes que el agua.

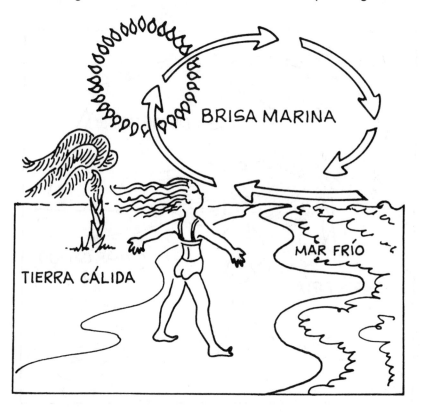

BRISA MARINA

MAR FRÍO

TIERRA CÁLIDA

¿Por qué? La diferencia en el tiempo que tardan la tierra y el agua en cambiar su temperatura sirve para explicar la diferencia en las direcciones de las brisas diurnas y nocturnas en una costa. Durante el día, y a pesar de que el sol brilla igualmente en la tiera y en el agua, la tierra se calienta más rápido que el agua. El aire más caliente que se encuentra sobre la tierra sube y el aire más frío que está sobre el agua se precipita a la tierra a ocupar el lugar del que sube. Esta brisa fresca que sopla del mar hacia la tierra durante el día se llama brisa marina. En la noche, la tierra se enfría antes que el agua. El aire caliente que está arriba del agua sube y el aire fresco de la tierra se precipita hacia el mar. Esta brisa nocturna fresca se llama **brisa de tierra**.

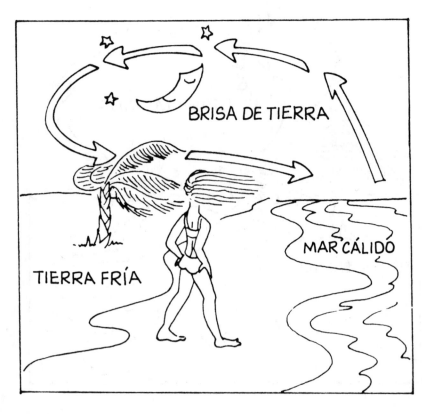

Soluciones a los ejercicios

1.

CORRIENTES MARINAS 2

SÍMBOLOS

CORRIENTE FRÍA ⇨ · CORRIENTE CÁLIDA ⇨

2. La Gran Bretaña (Reino Unido) tiene un clima más moderado que la Península del Labrador debido a la Corriente del Atlántico Norte, que es cálida.

18

Regiones climáticas

Cómo afectan al clima la ubicación y las características físicas de una región

Lo que necesitas saber

A principios del siglo XX Vladimir Köppen, **botánico** (hombre de ciencia que estudia las plantas) y **climatólogo** (hombre de ciencia que estudia los climas) alemán, observó la relación entre los tipos de plantas que crecen en un clima específico y las temperaturas y precipitaciones promedios de la misma área. Usó sus observaciones para trazar fronteras en un mapamundi, que se ha usado para dividir la tierra en seis regiones climáticas generales que se describen brevemente a continuación:

1. **Clima tropical:** Cálido y húmedo con abundante flora en el bosque lluvioso. En la sabana el clima es húmedo sólo la mitad del año y la otra mitad es seco.
2. **Clima seco:** Cálido, condiciones desérticas, poca precipitación.
3. **Clima templado:** Moderado, con temperatura y precipitación no extremosas.
4. **Clima continental:** Temperaturas y precipitación sumamente variables.

5. **Clima polar:** Inviernos largos y fríos, veranos frescos, que duran de uno a dos meses en las áreas del sur; poca precipitación con hielo polar que se derrite en el verano

	GRÁFICA DE REGIONES CLIMATOLÓGICAS
CLIMAS	CARACTERÍSTICAS
1. TROPICAL	
2. SECO	
3. TEMPLADO	
4. CONTINENTAL	
5. POLAR	
6. DE MONTAÑA	

para humedecer el terreno y permitir el crecimiento de las plantas.

6. **Clima de montaña:** Temperatura y precipitaciones muy variables que dependen de la altitud y latitud de las tierras.

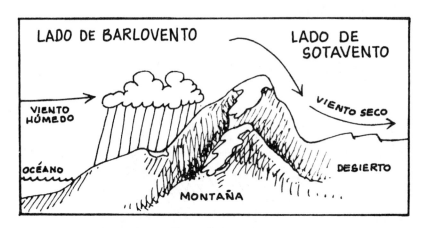

Las seis regiones climáticas no tienen fronteras donde súbitamente termine un clima y empiece otro. En vez de eso, los climas generalmente cambian de manera gradual. Si la región está dividida por algo como una cadena de montañas cerca de una gran extensión de agua, entonces es posible que un lado de la montaña sea fresco y húmedo y permita el crecimiento de plantas, mientras el lado opuesto sea un desierto con clima cálido y seco, con un mínimo de vida vegetal. Conforme los vientos soplan sobre las aguas, recogen humedad y suben y pasan sobre la montaña. El aire se enfría y la humedad se precipita en forma de lluvia o nieve. La precipitación que se ve en la figura de arriba está cayendo sobre el **lado de barlovento** (lado protegido del viento).

Pensémoslo bien

Usa el mapa de las regiones climáticas de África para determinar la extensión aproximada de los siguientes climas:
1. Clima tropical.
2. Clima seco.

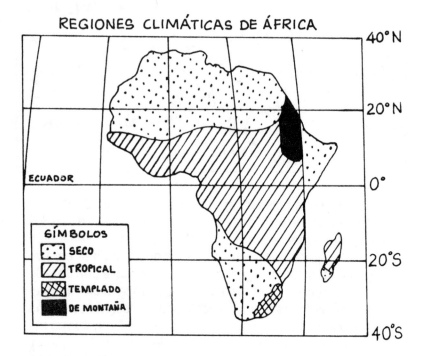

REGIONES CLIMÁTICAS DE ÁFRICA

SÍMBOLOS
- SECO
- TROPICAL
- TEMPLADO
- DE MONTAÑA

Respuestas

1. ¡Piensa!
- Mira el cuadro de símbolos del mapa. ¿Cuál de los patrones indica climas tropicales? El de rayas.
- ¿Entre qué latitudes aparece la mayor parte de las áreas rayadas?

La mayor parte de los climas tropicales se encuentra entre las latitudes 20°N y 20°S.

2. ¡Piensa!

- ¿Qué patrón representa al clima seco? El de puntos.
- ¿Entre qué latitudes aparece la mayor parte de las áreas punteadas?

La mayoría de los climas secos se encuentran entre las latitudes 40°N y 0° (ecuador).

Ejercicios

Generalmente las temperaturas bajan conforme uno se aleja del ecuador y se acerca a los polos. Por consiguiente, podemos dividir la tierra en tres zonas de latitudes: tropical, media y polar. Usa el mapa de zonas de latitud para determinar la extensión de las latitudes de la siguientes zonas:

1. Trópicos.
2. Latitud media.

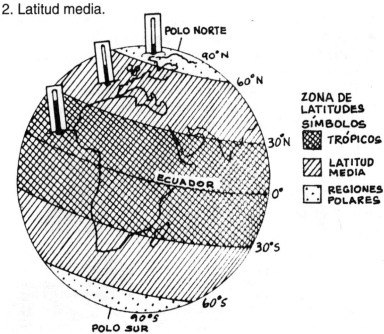

Actividad: EL CICLO DEL AGUA

Objetivo Demostrar el movimiento del agua entre la tierra y el aire.

Materiales
1 taza (250 ml) de tierra
tazón de vidrio de 2 litros (1/2 galón)
1/2 taza (125 ml) de agua
hoja de pástico transparente para envolver alimentos, de tamaño suficiente para tapar el tazón
lámpara de escritorio de cuello flexible
cronómetro
cubito de hielo
bolsa de plástico para alimentos con cierre hermético

Procedimiento

- Vacía la tierra en el tazón y déjala lo más nivelada posible.
- Vacía el agua en la superficie de la tierra.
- Tapa el tazón con el plástico para envolver, cuidando que quede cerrado herméticamente.
- Pon el tazón sobre una mesa cerca de la lámpara.
- Coloca la lámpara de manera que la luz quede aproximadamente a 15 cm (6 pulgadas) del lado del tazón.

■ Después de 10 minutos pon el cubito de hielo en la bolsa para alimentos y frótala suavemente sobre la superficie de la cubierta de plástico. Al hacer esto observa la apariencia de la tapa.

■ Quita la bolsa del hielo y pasa suavemente tu dedo por toda la superficie de la tapa.

Resultados   Al frotar el plástico con el hielo se hace que el plástico se empañe. Al pasar tu dedo sobre la tapa de plástico se revela que está seca en su exterior (la bolsa evita que el hielo que se derrite humedezca la tapa, por lo que puedes comprobar que está seca).

¿Por qué?   La tapa se empaña debido a la formación de humedad en la parte inferior. El tazón de tierra húmeda simula

el movimiento del agua entre la tierra y el aire. Este movimiento se llama **ciclo del agua**. Una de las etapas del ciclo del agua es la **evaporación** del agua de la tierra, es decir, la transformación de un líquido en vapor al entrar al aire. Para esta etapa se necesita que la temperatura del líquido aumente por el calor del sol (representado por la lámpara). No sólo se evapora el líquido de las masas de agua como océanos, lagos y corrientes, sino también el agua de la tierra, de la ropa recién lavada y de cualquier otra cosa que esté húmeda.

Una vez en el aire, el vapor de agua se enfría y vuelve a convertirse en líquido. Este cambio de vapor a líquido se llama **condensación**, y es lo que hace que el plástico se empañe. Para esta etapa se necesita que baje la temperatura del vapor, como al anochecer, lo que se simuló con el cubito de hielo. En la naturaleza se forman nubes cuando el agua se condensa en la atmósfera más alta y más fría. Al condensarse y convertirse en líquido, el agua de las nubes regresa a la tierra en forma de precipitación, misma que se evapora, iniciando de nuevo el ciclo del agua.

Soluciones a los ejercicios

1. ¡*Piensa*!
- Mira el cuadro de símbolos del mapa. ¿Cuál patrón indica la zona tropical? El de las líneas que se cruzan.
- ¿Entre qué latitudes se encuentra el área sombreada?

Los trópicos se encuentran entre las latitudes 30°N y 30°S.

2. ¡*Piensa*!
- ¿Cuál patrón representa la latitud media? El rayado.
- ¿Entre qué latitudes aparecen las áreas rayadas?

Hay dos regiones de latitud media: una entre las latitudes 30°N y 60°N y la otra entre las latitudes 30°S y 60°S.

19

Aguas y tierras del mundo

Identificación y localización de los seis continentes y los cuatro océanos del mundo

Lo que necesitas saber

Los astronautas que contemplan la tierra desde el espacio ven una esfera que parece una gran canica azul y blanca. Aproximadamente la cuarta parte de la superficie es tierra. Las otras tres cuartas partes de la superficie están cubiertas de agua.

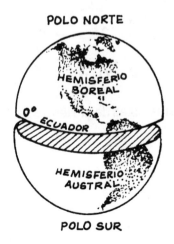

ECUADOR 0°

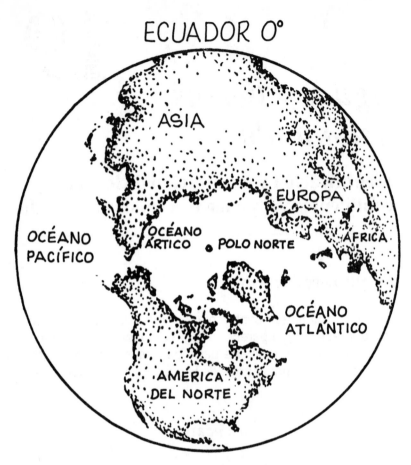

VISTA DEL HEMISFERIO BOREAL

Nota: Compara estas vistas de la Tierra con el mapamundi de las páginas 190-191.

ECUADOR 0°

ÁFRICA

AMÉRICA
DEL SUR

OCÉANO
ÍNDICO

POLO SUR

ANTÁRTIDA

OCÉANO
PACÍFICO

AUSTRALIA

VISTA DEL HEMISFERIO AUSTRAL

Las masas de agua más grandes son los **océanos**, distribuidos en la tierra de una manera irregular. La mayor parte de la tierra del planeta está en el Hemisferio Boreal, en tanto que la mayor parte del Hemisferio Austral es agua.

En realidad los océanos no son masas de agua separadas, sino un solo océano muy grande en el que flotan los continentes como si fueran islas. Este gran océano ha sido dividido por los hombres de ciencia en cuatro partes, que son de mayor a menor: el Océano Pacífico, el Océano Atlántico, el Océano Índico y el Océano Ártico. El más grande y profundo de ellos

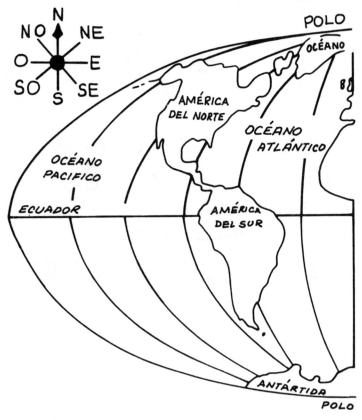

MAPAMUNDI DE CONTINENTES Y OCÉANOS

es el Pacífico, cuya área total aproximada es igual al total de los otros tres océanos. Los mares son también grandes masas de agua, pero más pequeñas que los océanos, de los cuales pueden formar parte.

La tierra de la superficie del planeta está dividida en cinco grandes masas de tierra, llamadas **continentes**: América, África, Australia, Antártida y Eurasia. Sin embargo, se dice generalmente que los continentes son seis, ya que la más grande de las masas de tierra (Eurasia), se divide en dos continentes (Europa y Asia).

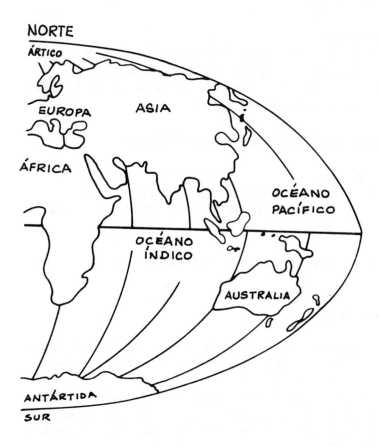

Pensémoslo bien

Usa el Mapamundi de Océanos y Continentes para responder a las siguientes preguntas:

1. ¿Qué continente se encuentra directamente al sur de Europa?
2. ¿Cuál es el continente que se encuentra directamente al oeste del Océano Atlántico?

Respuestas

1. ¡Piensa!
- Localiza Europa en el mapa. ¿Cuál es la dirección sur? Directamente abajo, hacia el pie de la página.
- ¿Cuál es el primer continente que se encuentra directamente abajo de Europa?

África está directamente al sur de Europa.

2. ¡Piensa!
- ¿Cuál es la dirección oeste? Hacia la izquierda.
- Encuentra el Océano Atlántico. ¿Cuál es el continente que está a su izquierda?

América se encuentra al oeste del Océano Atlántico.

Ejercicios

1. Usa el Mapa A para contestar la siguiente pregunta. Supón que estás en el Estado de Florida. ¿A cuál mar llegarás primero si viajas hacia el sur?
2. Usa el Mapa B para contestar la siguiente pregunta. Imagínate que estás parado directamente en el Polo Sur en el Continente de la Antártida. ¿Cuáles continentes están al norte del lugar donde estás parado?

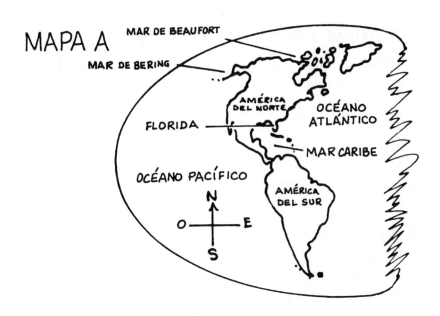

MAPA A

MAR DE BEAUFORT

MAR DE BERING

AMÉRICA DEL NORTE

OCÉANO ATLÁNTICO

FLORIDA

MAR CARIBE

OCÉANO PACÍFICO

AMÉRICA DEL SUR

N
O — E
S

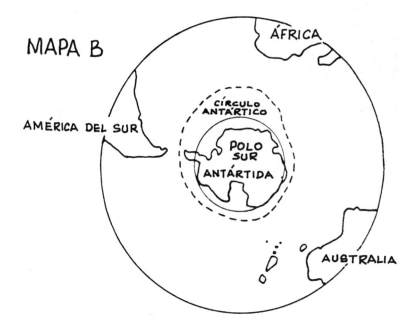

MAPA B

ÁFRICA

CÍRCULO ANTÁRTICO

AMÉRICA DEL SUR

POLO SUR

ANTÁRTIDA

AUSTRALIA

193

Actividad: ABRIGOS INTERIORES

Objetivo Demostrar cómo la ubicación de un continente afecta a la vida animal.

Materiales *1 cucharada (15 ml) de manteca*
2 termómetros
2 bolas de algodón
2 tazas
congelador
cronómetro

Procedimiento

- Unta la manteca alrededor del bulbo de uno de los termómetros.
- Separa las fibras del algodón de una de las bolas y ponlas alrededor del bulbo del termómetro con manteca.
- Colócalo en una de las tazas.
- Envuelve el bulbo del segundo termómetro con las fibras de la otra bola de algodón.
- Colócalo en la otra taza.
- Lee y anota la temperatura que marca cada termómetro.
- Pon en el congelador las tazas con sus termómetros y cierra la puerta.
- Toma y anota las temperaturas cada 5 minutos hasta que hayan transcurrido 20 minutos.

MANTECA Y
ALGODÓN

SÓLO
ALGODÓN

Resultados En 20 minutos las lecturas del termómetro cuyo bulbo fue cubierto con manteca y algodón cambiaron menos que las temperaturas del termómetro cubierto sólo con algodón.

¿Por qué? Los continentes ubicados cerca del ecuador reciben más luz solar directa y tienen climas más cálidos. Mientras más lejos del ecuador se encuentra un continente, más frío es su clima. Los pingüinos pueden sobrevivir en la Antártida, que es el continente más frío y que está más al sur, porque la capa de grasa que tienen bajo la piel actúa como aislante (material que hace más lenta la transferencia de energía calórica). En el experimento, la manteca, al igual que la capa de grasa del pingüino, actúa como aislante. Este "abrigo interior" hace más lenta la salida del calor del cuerpo caliente del animal hacia el aire frío que está fuera del cuerpo. Las capas de grasa, además de sus plumas exteriores **adaptan** (adecuan para la supervivencia) al pingüino a las condiciones de la Antártida. Si se le llevara a un continente más cercano al ecuador, por ejemplo Australia, el pingüino no se sentiría bien y probablemente moriría. Los animales de Australia están adaptados a su clima cálido y no sobrevivirían a las condiciones de la Antártida porque no tienen "abrigos interiores".

OCÉANO
ÍNDICO

AUSTRALIA

OCÉANO
ATLÁNTICO

ANTÁRTIDA

◉ POLO SUR

OCÉANO
PACÍFICO

Soluciones a los ejercicios

1. ¡Piensa!

- ¿Cuál es la dirección sur en el mapa A? Hacia el pie de la página.
- Localiza Florida y sigue con tu dedo la ruta rumbo al sur, hasta tocar el mar.

El Mar Caribe es el primer mar al sur de Florida.

2. ¡Piensa!

- Estando de pie en el Polo Sur es como estar parado arriba de una pelota grande. ¿Cuál es la dirección que está al norte del Polo Sur? Todas las direcciones.
- ¿Cuáles continentes, de los que se ven en el Mapa B, se encuentra al norte del Polo Sur?

América, África y Australia.

20

Gente, población y localización

Una mirada a la población del mundo y a la manera en que ha cambiado

Lo que necesitas saber

Es posible calcular en forma aproximada el número de habitantes del mundo porque la mayoría de las naciones hacen un conteo oficial de su **población** (número de personas que habitan en un área, por ejemplo, una ciudad) y que se conoce con el nombre de **censo**. Las naciones que no hacen un censo dan una estimación (cálculo basado en hechos) de su población. Las Naciones Unidas proclamaron, mediante las cifras de población de todos los países, que Matej Gaspar, niño que nació en Zagreb, Yugoslavia, el sábado 11 de julio de 1987 fue el habitante número 5 000 millones del mundo. Este número aumenta todos los días.

Tú, tu familia y amigos y la gente que los rodea forman parte de los más de 5 000 millones (5 000,000,000) de habitantes que forman la población **distribuida** (repartida) en diferentes regiones de la tierra. Los principales factores que influyen en la distribución son la disponibilidad de alimentos y agua dulce que se necesitan para sobrevivir. La **densidad de población** (número de habitantes de un área cuadrada) es mayor en los

LOS NÚCLEOS DE
POBLACIÓN DEL MUNDO
SÍMBOLOS
□ ESTE DE ASIA
● SUR DE ASIA
▲ EUROPA
★ ESTE DE AMÉRICA
DEL NORTE

lugares donde se pueden satisfacer fácilmente estas necesidades.

Algunas de las características geográficas que atraen a la gente a localidades específicas son los climas favorables, la tierra fértil para cultivo y la cercanía de ríos y océanos. Las vías acuáticas suministran alimentos y medios de transporte, así como medios de defensa para la **comunidad** (grupo de personas que viven cerca unas de otras). Un estudio de la distribución de la población del mundo revelará que algunas comunidades viven en regiones geográficas muy desfavorables. Para sobrevivir, esta gente modifica su ambiente o lle-

va una vida de estilo **nómada**. Los nómadas son la gente que no vive en un lugar fijo, sino que viaja de un lugar a otro en busca de alimentos y agua. Gracias a que vivimos en una era de tecnología avanzada, las comunidades pueden optar por vivir en áreas geográficas que tiempo atrás se hubieran considerado desfavorables.

Básicamente, la mayoría de los habitantes de la tierra se pueden dividir en cuatro principales núcleos o grupos:

1. *Este de Asia:* Más de la cuarta parte de los habitantes de la tierra viven en este núcleo, que incluye Corea, Taiwán, Japón, Vietnam y China.

2. *Sur de Asia:* ésta es la segunda área en cuanto a número de habitantes y forman parte de ella la India, Nepal, Sri Lanka, Paquistán y Bangladesh.
3. *Europa:* éste es el tercer núcleo con el mayor número de habitantes e incluye muchas naciones densamente pobladas, siendo las más grandes la Gran Bretaña, Francia, Alemania e Italia.
4. *Este de América del Norte:* éste es el menor de los cuatro grandes núcleos y cubre un área a lo largo de la costa este del subcontinente.

Pensémoslo bien

La población de la tierra cambió muy poco desde sus principios hasta el año 1700 A.C., aproximadamente, debido a las enfermedades, las guerras y el hambre. Los adelantos en producción de alimentos y descubrimientos médicos han ayudado a que la gente viva más y a que aumente la población del mundo.

Usa la gráfica del Aumento de la población mundial para contestar las siguientes preguntas:

1. ¿Entre qué fechas la población de la tierra permaneció estable (sin cambios)?
2. ¿Cuál fue el aumento de habitantes de la tierra en 1600, comparado con 1500?
3. ¿Entre cuáles dos fechas consecutivas tuvo su mayor aumento la población?

CRECIMIENTO DE LA POBLACIÓN MUNDIAL

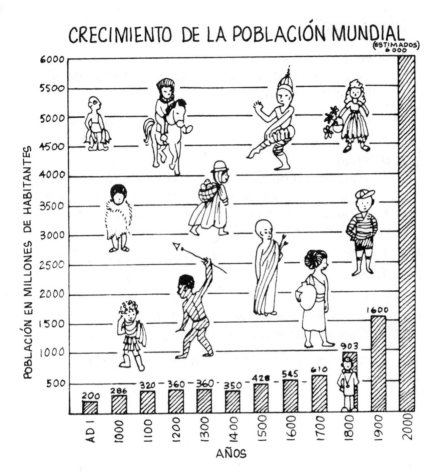

(ESTIMADOS)

POBLACIÓN EN MILLONES DE HABITANTES

6000 — 6000
5500
5000
4500
4000
3500
3000
2500
2000
1600 — 1500
903 — 1000
610
545
428
350
360
360
320
286
200

AD 1 · 1000 · 1100 · 1200 · 1300 · 1400 · 1500 · 1600 · 1700 · 1800 · 1900 · 2000

AÑOS

Respuestas

1. ¡Piensa!

- ¿Cuáles dos fechas consecutivas de la gráfica muestran la misma población?

La población de la tierra permaneció estable durante 1200 y 1300.

2. ¡Piensa!

- ¿Cuál era la población de la tierra en 1600? 545 millones ¿Cuál fue la población en 1500? Fue de 428 millones
- ¿Cuál es la diferencia entre estos dos números?
545 millones - 428 millones = 117 millones

En 1600 hubo 117 millones más de habitantes que en 1500.

3. ¡Piensa!

- ¿En cuáles dos fechas consecutivas aparece la mayor diferencia en la altura de sus barras en la gráfica?

El mayor aumento de población fue entre 1900 y 2000.

Ejercicios

1. ¿Cuál es el aumento de población de Europa estimado para el año 2000 con respecto a 1900, según la gráfica de aumento de la población de Europa?
2. La peste bubónica, llamada también la Muerte Negra mató a muchas personas en Europa. ¿Entre qué fechas se presentó esta peste, según la gráfica?

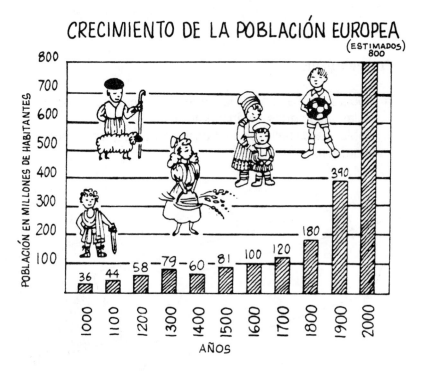

CRECIMIENTO DE LA POBLACIÓN EUROPEA
(ESTIMADOS)

Actividad: MUÑECAS DE PAPEL PARA ESTUDIAR LA POBLACIÓN

Objetivo   Demostrar la densidad de población.

Materiales   *seis tarjetas para ficha bibliográfica de 7.5 x 12.5 cm (3 x 5 pulgadas)*
bolígrafo (pluma)
tijeras
hoja de papel para escribir a máquina
regla

Procedimiento

- Dobla a la mitad una de las tarjetas, de manera que las dos orillas más cortas se encuentren.
- Dobla cada orilla corta hacia el doblez, en forma de acordeón.

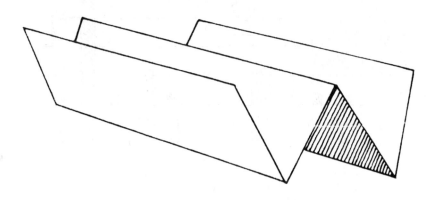

- Traza líneas punteadas en un lado de la tarjeta doblada, como se ve en el diagrama. Cuida que las orillas de la tarjeta queden como en el diagrama.

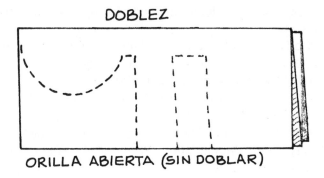

DOBLEZ

ORILLA ABIERTA (SIN DOBLAR)

■ Corta la tarjeta doblada por las líneas punteadas.

■ Desdobla la tarjeta y pinta caras, cabellos y ropas a las dos muñecas de papel.

■ Dobla a lo largo de la línea que se indica en el diagrama para hacer que las muñecas permanezcan paradas.

LÍNEA DEL DOBLEZ

■ Repite el procedimiento las veces necesarias para construir otros 5 juegos de muñecas de papel.

■ Dobla la hoja de papel a la mitad, dos veces, a fin de formar cuatro cuadrados.

- Extiende el papel doblado y pinta líneas a lo largo de los dobleces.
- Marca las ciudades y sus poblaciones como se ve en el diagrama. Ten en cuenta que cada juego de muñecas de papel representa 20,000 habitantes.
- Coloca tres juegos de muñecas en el cuadrado de la ciudad de Fort Sara.
- Coloca un juego de muñecas en cada cuadrado de los que corresponden a las ciudades de Sabrinaville, Alicia Springs y Mount Stephanie.

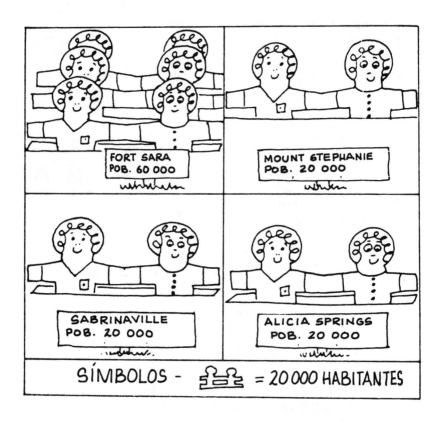

FORT SARA
POB. 60 000

MOUNT STEPHANIE
POB. 20 000

SABRINAVILLE
POB. 20 000

ALICIA SPRINGS
POB. 20 000

SÍMBOLOS - = 20 000 HABITANTES

Resultados La densidad de población de Fort Sara es tres veces mayor que la de sus ciudades circunvecinas de Sabrinaville, Mount Stephanie y Alicia Springs.

¿Por qué? Una comunidad se define por su densidad de población y por los servicios que suministra. De mayor a menor densidad de población, los cuatro tipos de comunidades son los siguientes:

1. Una **aldea** tiene un pequeño grupo de casas, posiblemente una gasolinería y un alamacén general.
2. Una **villa** tiene más habitantes que una aldea pero menos que un pueblo y cuenta con servicios como una oficina de correos, una iglesia y tal vez un restaurante.
3. Un **pueblo** tiene servicios como tiendas de especialidades.
4. Una **ciudad** tiene el mayor número de habitantes y la mayor variedad de servicios públicos.

Generalmente las ciudades están rodeadas de pequeños pueblos, villas, aldeas, o todo lo anterior. Las comunidades más pequeñas en las afueras de una ciudad se llaman **suburbios**. Una ciudad, con los suburbios que la rodean, se llama **área metropolitana**. Fort Sara, con su gran densidad de población, es una ciudad rodeada de las comunidades suburbanas de Mount Stephanie, Sabrinaville y Alicia Springs. Estas comunidades juntas son un ejemplo de área metropolitana. Cuando las áreas metropolitanas crecen hasta juntarse se convierten en una **megalópolis**.

Soluciones a los ejercicios

1 ¡Piensa!

- ¿Cuál es la población estimada de Europa para el año 2000? Es de 800 millones
- ¿Cuál fue la población en 1900? Fue de 390 millones
- ¿Cuál es la diferencia entre estos dos números?

  800 millones - 390 millones = 410 millones

En el año 2000 Europa tendrá 410 millones más de habitantes que en 1900.

2. ¡Piensa!

- ¿En qué fecha la población es menor que en la fecha anterior? En 1400. Esto indica que entre 1300 y 1400 la tasa de mortalidad fue mayor que la de natalidad.

Probablemente la peste bubónica se presentó entre 1300 y 1400.

Nota: *Los registros históricos indican que la peste bubónica mató a, aproximadamente, la tercera parte de la población de Europa, entre 1348 y 1370.*

Glosario

Adaptar: Adecuar para la supervivencia.

Aire: Mezcla de gases. Se compone principalmente de nitrógeno, oxígeno, bióxido de carbono y vapor de agua.

Aislante: Cualquier material que retarda la transferencia de energía calórica.

Aldea: Comunidad donde hay un pequeño grupo de casas y pocos o ningún servicio público.

Altitud: La altura de un objeto.

Ángulo de declinación magnética: (Véase variación).

Área metropolitana: Una ciudad y los suburbios que la rodean.

Astrónomo: Hombre de ciencia que estudia las estrellas y otros cuerpos celestes.

Barlovento: El lado que queda frente al viento.

Botánico: Hombre de ciencia que estudia las plantas.

Brisa de tierra: Brisa fría que sopla de la tierra hacia el mar durante la noche.

Brisa marina: Brisa fresca que sopla del mar a la tierra durante el día.

Brújula: Instrumento que sirve para determinar rumbos por medio de una aguja magnética que se mueve libremente y que siempre apunta hacia el norte magnético.

Cartógrafo: El que hace mapas.

Censo: Cuenta oficial de la población de determinada área.

Ciclo del agua: Movimiento del agua entre la tierra y el aire; se realiza en tres etapas: evaporación, condensación y precipitación.

Ciclón: Viento que sopla en círculos.

Ciudad: La mayor forma de comunidad que cuenta con muchos habitantes y servicios públicos.

Clima continental: Clima que se caracteriza por sus temperaturas y precipitaciones muy variables.

Clima de montaña: Clima que se caracteriza por sus temperaturas y precipitaciones sumamente variables, que dependen de la altitud y latitud de sus formaciones geográficas.

Clima polar: Clima que se caracteriza por sus inviernos largos y helados, con veranos frescos que duran de uno a dos meses; poca precipitación con hielo polar que se derrite en verano y humedece la tierra para que crezcan las plantas.

Clima seco: Clima que se caracteriza por ser cálido, tener condiciones desérticas y poca precipitación.

Clima templado: Clima moderado, con pocos extremos de temperatura y precipitación.

Clima tropical: Clima cálido y húmedo con abundante vegetación en las regiones de bosque pluvial. En las sabanas es húmedo sólo medio año y seco el otro medio año.

Clima: Condiciones atmosféricas que caracterizan a una región.

Climatólogo: Hombre de ciencia que estudia el clima.

Comunidad: Grupo de personas que viven unas cerca de otras, así como el lugar donde viven; se define por su densidad de población y por los servicios que presta; aldea, villa, pueblo o ciudad.

Condensación: Etapa del ciclo del agua en que cambia de vapor a líquido; requiere una disminución de energía.

Continente: Una de las seis grandes extensiones de tierra del planeta (América, África, Australia, Antártida, Europa y Asia).

Convección: Movimiento del calor a través de gases y líquidos.

Coordenada: El grado y la dirección de una línea de longitud o latitud.

Corrientes de convección: Movimiento hacia arriba y hacia abajo de los líquidos y los gases, debido a la diferencia de temperatura.

Corrientes oceánicas: Grandes corrientes de agua del océano que fluyen en una misma dirección.

Cuadro de símbolos: Clave para interpretar los símbolos de un mapa.

Curvas de nivel: Círculos irregulares sobre un mapa topográfico que conectan los puntos de igual elevación o profundidad.

Densidad de población: Número promedio de personas que habitan una superficie cuadrada.

Depresión tropical: Ciclón tropical con vientos de menos de 62 kilómetros (39 millas) por hora.

Distribución: Reparto.

Ecuador: Línea imaginaria que rodea a la Tierra en latitud 0°; es el punto de partida para medir las distancias al norte o sur de un mapa o un globo terráqueo.

Efecto de Coriolis: Tendencia de los vientos y el agua a desviarse debido a la rotación de la Tierra.

Elevación: Altitud de la tierra sobre un punto de referencia, generalmente el nivel del mar.

Equinoccio de otoño: Punto por el cual pasa el sol el primer día del otoño (23 de sptiembre en el Hemisferio Boreal).

Equinoccio de primavera: Punto por donde pasa el sol el primer día de la primavera (21 de marzo en el Hemisferio Boreal).

Escala: Clave de un mapa en la que se usa una medida pequeña para representar un área más grande de la Tierra.

Esfera: Objeto que tiene la forma de una bola.

Estable: Que no cambia.

Estimación: Suposición basada en hechos.

Evaporación: Etapa del ciclo del agua en la que un líquido se transforma en vapor; requiere un aumento de energía.

Geografía: Rama de la ciencia que abarca todos los aspectos de las características físicas de la Tierra y sus habitantes.

Grado: Pendiente de una elevación.

Hemisferio Austral: La región de la Tierra al sur del ecuador.

Hemisferio Boreal: Región de la Tierra al norte del ecuador.

Huracán: Ciclón tropical con vientos de 118 kilómetros (74 millas) por hora o más.

Husos: Secciones largas, elípticas, puntiagudas, que se hacen quitando la "cáscara" a un globo terráqueo; se usan para formar la superficie plana de un mapa del globo terrestre.

Intervalo de curvas de nivel: Cambio de altitud entre las curvas de nivel (líneas de iguales alturas, curvas de igual nivel). Representa declive.

Lado de sotavento: El lado opuesto al que sopla el viento.

Latitud: Líneas imaginarias que circundan el globo en dirección este-oeste; también llamadas paralelos de latitud.

Línea internacional de cambio de fecha: Línea imaginaria en la longitud 180°; el viajero que cruza esta línea encuentra que la hora sigue siendo la misma, pero de otro día.

Longitud: Líneas imaginarias que circundan el globo en dirección norte-sur. Se miden en grados este u oeste a partir del primer meridiano; también se conocen como meridianos de longitud.

Mapa de proyección de Mercator: Dibujo plano de la Tierra, que da con exactitud las formas de las áreas pequeñas, pero que no es una proyección de áreas iguales, por lo que exagera las superficies de los lugares que están muy lejos del ecuador.

Mapa topográfico: Mapa en el que se muestran las características de la superficie terrestre, como montañas, lagos, ríos, caminos y ciudades.

Mar: Gran masa de agua, menor que un océano y que puede formar parte de un océano.

Megalópolis: El área que se forma cuando las áreas metropolitanas crecen hasta juntarse.

Meridianos de longitud: (Véase Longitud).

Mesa: Cerro con cima plana y que por lo menos uno de sus lados es un acantilado empinado.

Meteorólogo: Hombre de ciencia que estudia los patrones del clima.

Nómadas: Gente que no tiene residencia fija, sino que viaja de un lugar a otro en busca de alimentos y agua.

Océano: Una de las grandes masas de agua que forma parte del gran océano, por ejemplo, el océano Pacífico.

Ojo del huracán: El área de calma y cielo despejado en el centro de un ciclón tropical.

Ondas ultrasónicas: Ondas sonoras de alta frecuencia.

Órbita: Trayectoria de un cuerpo celeste, como un planeta, alrededor del sol.

Paralelos de latitud: (Véase Latitud).

Paso: Paso grande que se usa para medir distancias.

Planeta: Palabra griega que significa errante; cuerpo celeste que gira alrededor del sol.

Plataforma continental: La parte del fondo del océano, que comienza en la orilla de un continente y se interna en el mar; su ancho varía de casi cero a cerca de 1 600 km (1 000 millas), con un promedio de 66 km (41 millas) aproximadamente.

Población: Número de habitantes de un área, como una ciudad.

Polaris: La estrella polar; servía a los primeros exploradores en la navegación porque su posición en el horizonte cambia según el lugar donde se encuentre el observador; se encuentra arriba del polo norte geográfico de la Tierra.

Polo Norte geográfico: El verdadero polo norte de la Tierra; se encuentra en la latitud 90°N; apunta hacia Polaris.

Polo norte magnético: Punto de la superficie terrestre hacia el cual son atraídos los polos norte de todos los imanes; se localiza aproximadamente en la latitud 75°N y la longitud 101°O.

Precipitación: Humedad que cae de las nubes, como la lluvia, nieve, granizo, aguanieve, etcétera; es una etapa del ciclo del agua.

Primer meridiano: Línea imaginaria en la longitud 0°, que pasa por Greenwich, Londres; es el punto de partida para medir las distancias al este u oeste de un mapa o globo terráqueo.

Proyección cartográfica: Transferencia a un mapa plano de información acerca de la superficie terrestre.

Pueblo: Comunidad cuyo tamaño de población y disponibilidad de servicios públicos se encuentran entre los de una ciudad y los de una villa.

Rosa de los Vientos: Instrumento que se usa para medir en grados los rumbos.

Rotación: Movimiento giratorio de un objeto, como la Tierra, sobre su propio eje.

Sistema solar: Conjunto de los cuerpos celestes que giran alrededor del sol.

Solsticio de invierno: Punto por donde pasa el sol el primer día del invierno (22 de diciembre en el Hemisferio Boreal).

Solsticio de verano: Punto por el que pasa el sol el primer día del verano (22 de junio en el Hemisferio Boreal).

Sonar: Instrumento que sirve para enviar ondas ultrasónicas.

Suburbios: Pequeñas comunidades en las afueras de una ciudad.

Tiempo de eco: Tiempo que tardan las ondas sonoras en viajar en línea recta, reflejarse en un objeto y regresar.

Tormenta tropical: Ciclón tropical con vientos de 62 a 116 kilómetros (39 a 73 millas) por hora.

Traslación: Movimiento de un objeto alrededor de otro; el movimiento de la Tierra y otros cuerpos celestes alrededor del sol.

Trópico de Cáncer: Latitud 23.1/2°N.

Trópico de Capricornio: Latitud 23.1/2°S.

Variación: Ángulo de diferencia entre la dirección hacia el norte geográfico y la dirección hacia el norte magnético, desde determinado punto de la Tierra; ángulo de declinación magnética.

Viento: Movimiento causado por el movimiento del aire.

Villa: Comunidad con más habitantes y servicios públicos que una aldea, pero menos que un pueblo.

Zonas de calma ecuatorial: Regiones de vientos superficiales débiles cercanas al Ecuador.

Zonas de calma tropical: Regiones donde hay poco viento superficial. Se encuentran en latitudes 30°N y 30°S.

Libros que puedes leer

Asimov, Isaac, *Las fuentes de la vida,* México, Editorial Limusa, 2a. edición, 1981.

CONACYT–NORIEGA EDITORES, *Al descubrimiento de la ciencia,* México, Editorial Noriega Editores, 1988.

Córdova, Carlos, *Cómo acercarse a la geografía,* México, Noriega Editores–Consejo Nacional para la Cultura y las Artes, 1993.

Fierro, Julieta, *Cómo acercarse a la astronomía,* México, Noriega Editores–Consejo Nacional para la Cultura y las Artes, 1991.

Gutiérrez, Jesús, *Geografía 1, La nave en que viajamos,* México, Editorial Limusa, 1993.

Gutiérrez, Mario, *Ecología, Salvemos el Planeta Tierra,* México, Editorial Limusa, 1992.

Pérez, Ruy, *Cómo acercarse a la ciencia,* México, Noriega Editores–Consejo Nacional para la Cultura y las Artes, 1989.

VanCleave, Janice P., *Física para niños y jóvenes: 101 experimentos superdivertidos,* México, Editorial Limusa, 1996.

VanCleave, Janice P., *Química para niños y jóvenes: 101 experimentos superdivertidos,* México, Editorial Limusa, 1994.

Índice

IMPRESO EN IMPRESOS FRAMOLL, S.A. DE C.V. • 215630 000 06 97 505